SAINT-OURS

DU KETCHUP DANS LE CAVIAR

SAINT-OURS

DU KETCHUP DANS LE CAVIAR

éditions
pratiko

1665, boul. Lionel-Bertrand
Boisbriand (Québec) J7H 1N8

Titre : Du ketchup dans le caviar
Auteur : Pierre H. Richard

ISBN : 978-2-924176-79-5 (papier
978-2-924176-80-1 (epub)
978-2-924176-81-8 (pdf)

Édition électronique : La boîte de Pandore
Illustration de la couverture : La boîte de Pandore
Images de la couverture : Depositphotos

Dépôt légal : 2e trimestre 2017
Bibliothèque nationale du Québec
Bibliothèque et Archives Canada

Imprimé au Canada

PROLOGUE

L'emmerdement, dans une job comme la mienne, c'est qu'on passe les trois quarts de son temps à interroger des gens pour apprendre des choses sur d'autres gens qui, eux, ne peuvent plus parler.

Je me fais ces réflexions alors que mes petits copains s'affairent dans le bistro, interrogeant le serveur, les clients, ceux qui ont été trop figés pour déguerpir, et le propriétaire de l'endroit, un Italien luisant dont le double menton tremblote encore et qui ne cesse de répéter, dans son français fleuri : « Pas dans mon restaurant, pas dans mon restaurant ! » Il se tient dans un coin, sidéré, les yeux globuleux.

Je le regarde. Il est sous le choc, mais pas assez pour arrêter de penser. C'est clair : il voit déjà son comptable, la nouvelle enseigne, dehors et des affiches indiquant « Nouvelle Administration ».

C'est vrai que ça ne fait pas très propre, trois cadavres sur un plancher.

Les gars des homicides nous ont appelés parce que les meurtres semblaient être plus qu'un simple règlement de compte. Je n'ai pas très bien compris leurs soupçons, mais le boss nous a dit d'aller vérifier si effectivement le service devrait s'occuper de l'affaire. Comme si on n'avait pas assez de travail depuis qu'ils avaient mis sur pied cette agence de protection scientifique et de lutte à l'espionnage industriel !

Chose certaine, le gars qui a rempli le contrat était sérieux. Il est entré, a posément visé un des dîneurs, lui a expédié trois balles dans le coffre puis, comme les deux messieurs qui accompagnaient le premier ont commencé à rouspéter, il a vidé son arme sur eux, comme ça, simplement. Après, il est sorti en laissant tomber son revolver.

Je n'ai pas examiné l'arme mais les blessures des victimes indiquent que le tueur a utilisé du gros calibre. Le type a voulu faire beaucoup de dégâts tout en s'assurant que ses clients n'iraient pas porter plainte.

Derrière la flaque de sang qui imbibe lentement le tapis, un agent des scènes de crime s'occupe à retirer de la cloison les balles qui y ont pénétré. En fait, je devrais dire qu'il tente de récupérer le chargeur au complet parce qu'aucun des projectiles n'est resté dans les corps.

Le grand type blondasse qui a avalé le premier cet entremets a deux énormes trous dans la poitrine et, à la place de la figure, un amoncellement de chairs sur lesquelles le sang commence à coaguler. Sa calotte crânienne est complètement éclatée et vaut mieux s'assurer d'avoir le cœur à la bonne place avant de jeter un coup d'œil. Pour les autres, c'est moins pire. Ils ont tout ramassé en pleine poitrine et ils sont tombés à la renverse, de sorte qu'ils font plutôt de jolis cadavres, avec cette expression d'intense surprise sur la figure.

— Belle job ! me dit Gerbier en venant s'appuyer au bar.

Puis, se penchant par-dessus le comptoir, il saisit un petit plat d'olives destinées à faire trempette dans des dry martinis. Il en prend une poignée, se remplit la bouche et ajoute : « On trouvera rien ! »

— Pourquoi ? j'ai demandé.

Gerbier crache un ou deux noyaux, puis répond :

— Parce qu'il n'y a rien à trouver. J'ai

examiné le morceau. Pas de numéro de série, bien sûr. Quant aux empreintes, oublions ça. C'est déjà un miracle d'en trouver une sur une arme et c'est clair que le gars qui a fait ça connaissait son boulot. En plus, c'est du .357. Des magnums. À Montréal, c'est extrêmement difficile, pour ne pas dire impossible, d'en trouver. Et puis, un type qui abandonne une arme comme celle-là n'en est pas à sa première expérience. Je suis sûr que le coup a été fait par un Américain. Et pas un gars de la gaffe.

Sa dernière remarque me fait sursauter. Ses explications sur l'arme, je m'en fous. Si Gerbier le dit, c'est qu'il a raison. Sa force, c'est sa précision de tir et sa connaissance des armes. Tellement maniaque que, membre d'un club de tir, il en est rendu à fabriquer lui-même ses balles. À l'époque, quand il était de la police, sa réputation était telle que la direction avait voulu le muter à l'escouade tactique, avec les tireurs d'élite. Mais il avait refusé. Jouer les commandos, ça ne l'amuse pas et puis, lui, c'est les armes de poing qui l'intéressent. Les carabines, comme il dit, il « laisse ça aux petites filles ». Mais sa précision lui a déjà apporté de gros problèmes.

Un jour, son escouade avait coincé des petits truands dans une banque et ces ordures avaient pris le personnel en otage. Après discussions, deux punks avaient décidé de se rendre, mais le troisième avait voulu jouer les matamores et avait exigé un véhicule pour prendre la fuite. Les autorités avaient obéi. Le gars était monté à bord entouré des otages. On n'avait rien pu faire. Mais Gerbier, lui, avait déjà foutu le camp.

Première chose qu'on avait su : l'auto n'avait pas fait deux cents mètres qu'on entendait une détonation ; Gerbier se tenait debout à l'autre coin de rue, son revolver fumant entre les mains.

Le type dans la bagnole avait accueilli le pruneau entre les deux yeux. Il avait été gelé net. Il avait eu le malheur de s'installer près du chauffeur, à l'avant. Il y avait eu une grosse panique. Le gérant de la banque, qui était au volant, avait stoppé, et les caissières s'étaient précipitées hors de la voiture pendant que leur patron vomissait sur l'asphalte.

Après, pour Gerbier, ça avait été le bordel : le conseil de discipline, la déontologie, les protestations de la Ligue des droits de l'homme, du Comité de défense des prisonniers, l'enquête du coroner, etc. Il répétait à tous qu'il avait juste voulu empêcher qu'on recommence le cirque que les flics avaient vécu un mois plus tôt quand un braqueur de banque avait réussi à obtenir une voiture et avait pris un journaliste en otage avant de se promener en ville pendant huit heures, le reporter, canon à la tempe, lui servant de chauffeur.

Les affaires internes s'en étaient aussi mêlées et Gerbier avait dû rester chez lui pendant deux ans avant d'écoper une année de suspension supplémentaire en guise de sanction. Énorme… Pour l'époque, bien entendu. Aujourd'hui, il serait congédié, accusé et condamné.

C'est à ce moment que j'étais allé le chercher. J'avais besoin d'un bon tireur pour un coup fourré. Le service pour lequel je travaille ne fonctionne pas toujours dans la légalité et il ne relève pas de la direction générale de la police, même si on travaille régulièrement avec les flics. Théoriquement, on n'existe pas.

Gerbier avait fait l'affaire et je l'avais gardé dans mon équipe. J'avais dû attendre que l'histoire soit oubliée pour l'utiliser au grand jour, mais ça valait la peine.

— Pourquoi tu dis que c'est un Américain qui les abattus ?

— Je viens de te donner les explications, à propos de l'arme…

— Je veux bien qu'il soit pratiquement impossible de trouver ces munitions à Montréal mais un type peut très bien s'en procurer ailleurs.

Nouvelle plongée vers les olives.

— Regarde ça.

De sa main gauche, il me tend les papiers des trois macchabées : deux passeports et deux porte-monnaie. Le premier passeport, américain, est libellé au nom de Peter Racine, né à Bâton-Rouge, Louisiane, 35 ans, divorcé. Ça, c'est le type qui a le premier avalé son extrait de naissance. Le deuxième passeport, européen celui-là, est au nom de Claude Rougier, parisien, 31 ans. Rien ne semble anormal, si ce n'est qu'ils ont tous les deux des visas russes.

L'Américain avait un visa d'entrées et de sorties multiples, ce qui laisse croire qu'il habitait Moscou ou alors qu'il y allait fréquemment. Le Français, lui, n'avait qu'un visa d'une semaine et le tampon d'enregistrement des douanes russes. Dans son cas, il se rendait dans la capitale russe pour peu de temps ou alors son visa d'entrées et de sorties multiples ne lui avait pas encore été délivré. Dans son passeport, il avait aussi une carte d'agent de sécurité de la Lloyds of London.

— Cette carte était dans le passeport ?

— Nin ! C'est moi qui l'ai mise là, répond Gerbier en postillonnant des reliquats d'olives.

Le portemonnaie, quant à lui, contient une carte officielle du gouvernement américain, de l'armée américaine plus exactement, au nom de Harris Johnston. Elle est marquée du sceau de l'ambassade des États-Unis. Le deuxième portemonnaie contient les papiers personnels de Racine.

— C'est quoi, cette histoire ?

— Pas d'importance, lance Gerbier… Les Américains démêleront ça tout seuls. Le tueur vient de chez eux et les victimes viennent aussi de chez eux. Sauf le Français. D'ailleurs je me demande ce qu'il faisait là.

Songeur, je mets les papiers dans ma poche.

— Claude, tu vas me trouver le curriculum de ces trois gentlemen. En même temps, tu te renseigneras auprès de la Lloyd's pour savoir ce que leur gars faisait ici. Préviens les homicides qu'on va demander à ce que tout le barda soit envoyé à notre bureau. On le leur rendra plus tard. En attendant, si tu me cherches, je suis au Cochon qui rit. J'ai mon téléphone.

En parlant, je traverse le restaurant pour sortir. La main sur la poignée de la porte, je me retourne pour lancer à Gerbier l'ordre de retrouver la voiture dans laquelle le tueur s'est enfui.

— Demande aussi qu'on nous sorte les bandes vidéo des caméras de la rue. Pour une fois qu'elles peuvent servir…

— Max, je te le dis, laisse ça aux gars des homicides et aux Américains !

— Non, mon grand. Ils ont été tués chez nous et je ne veux pas voir les bœufs de la CIA venir jouer dans ma cour. Compris ?

Gerbier m'envoie à tous les diables pendant que la porte se referme sur moi. Je sais bien que même si je ne le veux pas, les Américains vont envoyer du monde.

CHAPITRE 1

Quand nos bureaux étaient installés dans le Vieux-Montréal, j'avais l'habitude d'aller dîner à la Maison de Beaujeu, restaurant sans prétention et très agréable. La piaule a été vendue et s'appelle maintenant le Cochon qui rit, mais c'est tout ce qui a changé. Le barman de l'endroit est, à lui seul, la meilleure pub de l'endroit.

Ventripotent, la cinquantaine bien entamée, les cheveux lissés vers l'arrière, à la Errol Flynn, il porte constamment sur le bout du nez des demi-lunettes de vieille Anglaise frustrée et ne sort jamais sans s'être assuré que son pantalon est bien retenu par des bretelles flamboyantes dont il fait d'ailleurs collection.

Outre cela, il a une sérieuse tendance à ne pas se laisser marcher sur les pieds et il se permet allègrement d'engueuler les clients qui les lui cassent. Ou alors, maître après Dieu derrière son bar, il peste à voix haute contre tel ou tel enfoiré qui lui cherche des poux, le tout abondamment garni de jurons bien audibles. Même les flics n'échappent pas à ses foudres quand ils ont le malheur de l'emmerder.

Quand j'ai connu ce resto, il était surtout fréquenté par des artistes, des journalistes et quelques jeunes hommes et femmes d'affaires branchés. Malgré ma qualité de flic, à l'époque, j'ai réussi à m'y faire quelques amis et de très bonnes connaissances, surtout chez les reporters et les reportères, comme on dirait à la CSN. Je détonnais un peu dans le tas avec mon complet sur mesure et mes chaussures italiennes, d'autant plus que je me fais un point d'honneur d'être toujours bien coiffé et rasé, ce qui était loin d'être l'apanage le plus évident de la clientèle de l'endroit. Mais faut croire que certaines n'étaient pas insensibles au côté «preppy» de mon personnage puisque j'avais eu quelques succès amoureux, ce qui m'a d'ailleurs valu, à au moins une reprise, un accrochage assez sérieux avec un journaliste qui estimait, avec raison, que je venais de lui piquer sa blonde, temporairement, certes, mais sûrement. Même s'il avait tenté de noyer son chagrin dans une quantité imposante de Bleue dry, le type était beaucoup plus costaud que je ne l'avais d'abord cru. Plus grand et plus gros que moi, il m'avait garni les babines d'une enflure qui avait considérablement ralenti mes activités de Roméo pendant une bonne semaine. D'autant plus que ça me forçait à zozoter, ce qui est terriblement nuisible quand on essaie de faire le beau cœur et de se faire prendre au sérieux. Finalement, j'avais retrouvé mon profil d'origine, celui qui force Brad Pitt, Nicolas Cage et Tom Cruise à demander à leurs mamans quels péchés ils ont commis pour être affublés d'une tête comme les leurs.

Maintenant, la clientèle du restaurant est changée. Les journalistes y viennent toujours, mais les artistes s'y font rares depuis que la boîte a été vendue. Normal, c'était un comédien qui en était le proprio. Depuis, les artistes se sont trouvés un autre quartier général et ce sont les avocats et les juges, principalement, qui fréquentent la place.

Sauf la petite salle, juste en entrant : elle est farouchement demeurée le fief des journalistes, surtout le midi.

À l'heure où je me pointe, il n'y en a plus aucun, ce qui fait mon affaire. Comme ça, j'évite les questions indiscrètes.

Rolland le barman, sa phobie, c'est les gin-fizz ou les zombies. Il devient mauvais quand on lui en demande un. L'heure du lunch est terminée et une longue série de verres sales s'étale sur le bar. Les deux mains plongées dans l'eau, Rolland frotte.

— Bonjour, Excellence !

L'Excellence, c'est moi. Il est comme ça, Rolland : il met son monde à l'aise. Comme une fleur en fait germer une autre, je m'empresse de lui répondre.

— Salut, Rolland ! Un zombie, au pc !

Ces paroles ont le don de l'immobiliser, les deux mains dans la soupe. Il tourne vers moi une tête dont les rouages giratoires semblent à moitié paralysés. Me jetant un regard lourd par-dessus ses demi-lunettes, il exprime une nette réprobation.

— Un zombie, s'il vous plaît, monsieur Rolland, dis-je, plus courtois.

Se dépliant en s'essuyant les mains, il prend un verre à vin, le dépose devant moi, s'empare d'une bouteille de bourgogne déjà ouverte et la place tout à côté de mon verre.

— À part ça, quoi de nouveau ?

En rigolant, je me verse une rasade de rouge :

— Trois types qui se sont fait liquider, à midi, chez Tettrazini.

— Rue Saint-Denis ! s'exclame-t-il.

— Comme je te le dis… Rue Saint-Denis, en plein lunch. Le gars est descendu de sa voiture, garée en double file, a rempli son contrat et est reparti, comme ça. Ça a un petit peu dérangé les vieux freaks du quartier, je te jure. Mets la télé à RDI ou à LCN, tu vas voir…

Rolland lève un verre pour le mirer au soleil.

— Les gars qui se sont fait descendre, ce sont des gentlemen qu'on connaît ?

Des gentlemen qu'on connaît. L'expression me fait sourire et je me dis *in petto* qu'il est rare que les individus qui se retrouvent dans leur cercueil avant terme soient des gentlemen. Bien sûr, il y en a mais ça, ce sont des accidents, dans le genre du dépanneur qui se prend une décharge de .12 en pleine face parce qu'un petit truand trop nerveux ou à court de drogue a encore plus peur que lui. De la tête, j'indique à Rolland que les types ne sont pas connus.

Je ne peux quand même pas lui raconter toute l'histoire. Pour tout le monde, ici, je demeure un jeune officier de l'escouade des stupéfiants dont la réputation a gonflé à la suite d'une opération pas ordinaire sur la rive sud de Montréal. Un gros coup. On avait levé une bande qui se spécialisait, ni plus ni moins, dans le raffinage et la distribution de l'héroïne. J'étais alors un agent double. Mais les trafiquants ont compris que j'étais bigame et ils ont voulu me faire du mal.

Comme l'enquête était presque finie, j'avais appelé d'urgence mes petits amis et on s'était pointés à Varennes, dans une ferme, où les marchands d'héroïne tentaient de déménager le matériel de raffinage et une quantité importante de produit fini.

On avait voulu faire ça normalement, mais ils avaient sorti l'artillerie lourde et ça avait été le siège pendant deux ou trois heures. Les journaux avaient écrit, le lendemain, qu'on avait échangé plus de 800 projectiles pour parvenir à mettre fin à cette bande. Le bilan : quatre morts dans leur groupe, un dans le nôtre, trois véhicules démolis et une maison brûlée.

On ne sait pas vraiment comment le feu a pris parce que les pompiers volontaires, quand ils sont arrivés sur place et qu'ils ont vu la scène, ont changé de direction, question d'attendre que le temps tourne au beau fixe. Quand ils sont intervenus, il ne restait plus que des décombres et on n'a pas vraiment cherché à savoir comment était né l'incendie.

Le lendemain, mon portrait apparaissait dans le journal. Un petit malin avait réussi à obtenir ma photo et s'était empressé de me faire une bonne place à la une. Ça mettait automatiquement fin à ma carrière d'agent d'infiltration. C'est à ce moment que j'ai été recruté par le service. Mais pour la moyenne des ours, je suis toujours un « narc ».

Pendant que j'avale une petite gorgée de rouge, je vois Rolland se fendre d'un large sourire et je sens une main me caresser les cheveux.

— Oh, le gentil toutou…

Micheline. Il n'y a qu'elle pour me faire ce genre de gag. Faut dire que la chose ne me fâche pas. Parce qu'un bonhomme qui se fâcherait quand une madame comme Micheline entreprend de lui masser la nuque, même si elle ne dit pas de gentillesses, c'est qu'il n'est pas un homme.

Cette fille, il faut la voir. Taille moyenne, cheveux bruns coupés à la garçonne, elle a un visage de gamine, une bouche gourmande, et de grands yeux au blanc bleu pâle frangés de longs cils qui donnent beaucoup d'intensité à son regard.

Pour le reste, ça se voit tout seul que ce n'est plus une petite fille. Sa maman l'a très bien pourvue de poumons, lesquels sont à peine recouverts, aujourd'hui, d'une chemise indienne dont le décolleté n'est jamais passé sous la loupe de la censure. Du coup, j'en attrape un strabisme convergent et j'exécute un plongeon plus bas pour examiner des hanches rondes enveloppées d'une de ces jupes de coton qui ne sont nouées qu'à la taille. Un bout de tissu replié, c'est tout ; lorsqu'elle s'assoit sur un tabouret, je découvre deux jambes qui n'ont strictement rien à voir avec celles de Jean Lapointe. Bref, une tête et une silhouette à dévergonder un mollah.

Cette chérie se commande un petit kir que Rolland, tout en ronds de jambes, s'empresse d'exécuter.

— Dis donc, Micheline, on ne t'a jamais parlé d'un article de loi concernant l'indécence sur la voie publique ?

— Toi et ta déformation de flic ! T'es pas drôle ! Qu'est-ce qu'elle a, ma tenue ?

Rolland, après lui avoir donné son verre, un sourire béat aux lèvres, fait comme moi : il scrute.

— Ta tenue ? Mais regarde Rolland : ses lunettes sont toutes embuées.

Du coup, mon barman préféré dégringole des hauteurs de sa béatitude. Il fait un vague geste de la main et explique, en se dirigeant vers le téléphone qui carillonne, que si ses lunettes sont embuées, c'est à cause de la vapeur dégagée par son eau de vaisselle.

— Si vous n'êtes pas content, vous avez juste à regarder ailleurs.

Puis, Miche plonge le nez dans son kir.

J'ai le choix entre examiner ma compagne de bar, ou Rolland, ou sa collection de bouteilles. J'opte pour la première option.

— Tu ne travailles pas aujourd'hui ? me demande-t-elle.

D'un signe de tête, je lui indique que je suis en service, tout en me disant que j'enverrais bien promener le boulot pour aller me promener avec elle. Cette fille, je l'ai connue dans le Vieux-Montréal, un soir de fête. J'étais sur la rumba et quand je l'avais vue, j'étais allé l'inviter à se joindre à moi, même si elle était avec des amis.

Heureusement, ils fêtaient aussi, de sorte que je ne paraissais pas trop inconvenant. Elle avait alors renversé mon invitation en me suggérant de me joindre à eux. On avait bu quelques verres ensemble et je m'étais endormi, la tête sur son épaule. Il paraît que ça avait été tout un spectacle que de m'embarquer dans un taxi. Finalement, je m'étais réveillé assez pour donner mon adresse au chauffeur. Inquiète, Micheline avait décidé de m'accompagner jusque chez moi avant de rentrer chez elle.

Mais il y avait eu un hic. D'après ce qu'elle m'a ensuite raconté, il me restait juste assez d'argent pour payer la course et elle, pas assez pour repartir. Voyant à quel point j'étais chromé, elle en avait conclu qu'elle ne risquait pas grand-chose. Elle avait donc décidé de rester chez moi pour la nuit. Le chauffeur m'avait soutenu pour sortir de sa voiture, puis il m'avait installé sur un banc. Micheline avait dû m'octroyer une large ration de claques pour me faire sortir des vapes. Après, on avait pris l'ascenseur et grimpé jusqu'au vingt-quatrième étage.

Le lendemain, j'avais une gueule de déterré.

Un bruit de vaisselle remuée venu de la cuisine m'avait forcé à ouvrir les yeux et à comprendre qu'il y avait quelqu'un dans mon logement. Couché dans le salon, je n'avais pas eu la force d'aller voir de qui il s'agissait et j'avais attendu la suite. Micheline était entrée en tenant deux tasses de café. Elle n'avait qu'une de mes chemises sur le dos et, pendant un instant, j'avais cru rêver. Je m'étais redressé et présenté. En riant, elle m'avait expliqué que c'était déjà fait. J'avais alors demandé si nous avions fait plus ample connaissance. Elle avait ri tellement fort que j'avais demandé grâce. On avait avalé les cafés, pris une douche et on était retournés en ville avec un taxi que j'avais réglé avec ma carte de crédit. Ma voiture était toujours au stationnement et j'avais raccompagné Micheline chez elle. Après, je l'avais revue de temps en temps, dans le Vieux ou la rue Saint-Denis, mais on n'avait jamais pu vraiment terminer notre conversation.

Rolland me tire de mes réflexions.

— La qualité du langage de l'individu qui te demande au téléphone me laisse croire qu'il s'agit de ton illustre collaborateur Gerbier.

Il me tend l'appareil. Micheline entreprend une jasette sur ses activités de la journée avec le barman.

— Lieutenant Saint-Ours ? demande Gerbier, d'une voix très douce.

Quand il parle comme ça, c'est qu'il est dans le bureau du boss ou qu'il s'assure qu'il s'adresse bien à la bonne personne avant de lancer des invectives qui scandaliseraient Michel Chartrand. Comme je lui confirme que je suis bien moi-même en personne, il monte le ton.

— Toujours la même histoire, hein ? Pendant que les subalternes se paient le vilain travail, les galonnés vont se poigner le cul dans les restos tout l'après-midi et reviennent vers quatre heures en prétextant un rendez-vous important qui a duré plus longtemps que prévu. Si ce n'était que de moi, je te garantis qu'il y aurait une sérieuse distribution de coups…

— Ta bouche, crétin ! Deux questions : primo, dis-moi pourquoi tu ne m'as pas appelé sur mon cell et deuxio, pourquoi tu déranges ton supérieur hiérarchique dans l'accomplissement d'un acte vital ?

Interloqué, il se radoucit.

— Ça fait deux messages que je laisse sur ton cell. Tu as dû l'oublier dans le char, comme d'habitude… Et puis, de quoi tu parles ? Acte vital ? C'est quoi, ça ?

— Je prends un verre et je discute avec une jeune femme.

— C'est qui, la fille ?

— Micheline. De toute façon, c'est pas tes oignons. Alors, qu'est-ce qui se passe ?

Soudainement sérieux, Gerbier me dit de patienter une seconde. Je l'entends qui remue des papiers. Le jour où il entretiendra son bureau comme il entretient ses armes, nos enquêtes vont doubler de vitesse.

— Bon, voilà, dit-il. Peter Racine, le blondinet dont la tête ressemblait à son spaghetti. Tu vois qui ?

Je lui signale que je sais de qui il parle, qu'il se grouille de débouler le reste et que j'ai autre chose à faire dans la vie que de tenter de lui extraire des informations.

— Écoute, si tu le prends sur ce ton, tu vas me voir arriver et on va s'engueuler sérieusement. En attendant, le dénommé Racine est un type des spéciaux US, Service action. Enfin, un ancien des spéciaux. Il y a trois ans, il s'est fait prendre dans un coup pas très catholique, si j'en crois mes papiers. Il aurait eu en sa possession des documents qu'il n'aurait pas dû avoir.

Informé, il se pousse et on le retrouve à Moscou, il y a dix-huit mois, comme représentant d'une firme allemande spécialisée en électronique. Rank Grubb, que ça s'appelle. Quand il était en service, il voyageait beaucoup en Amérique latine, surtout au Guatemala, au Salvador et au Nicaragua. Bref, des petits paradis touristiques, surtout à l'époque. Ça, ce sont les infos fournies par les Américains. De mon côté, j'ai trouvé dans Internet des traces de notre moineau dans les milieux du travail américains.

— Qu'est-ce que tu veux dire ?

— Les syndicats… En fait, on le retrouve dans une espèce de structure syndicale américaine à déploiement international, financée directement par le gouvernement. Ça s'appelle, attends un peu… l'Institut américain pour le développement des syndicats libres. Il était aussi en contact avec le Centre afro-américain et l'Institut américano-asiatique des syndicats libres, des trucs que les syndicats européens considèrent comme des filiales de la CIA. Bon… Ça, c'est le premier. L'autre Américain, Harris Johnston, était en poste au consulat américain de Montréal. Même si c'était un militaire, il était aussi spécialiste en Relations industrielles. Il s'occupait, entre autres tâches, des relations avec la presse et les syndicats. Voilà… Quant au Français, c'est un garde du corps de la Lloyd's. Un ancien militaire. Parachutiste dans les troupes d'élite. Il a quitté l'armée il y a deux ans pour se recycler comme garde du corps. Entraînement de commando. Habile au couteau, bon tireur, il a eu pas mal de problèmes avec les polices militaires et civiles en France. Voilà, tu en sais autant que moi. L'histoire commence à faire pas mal de tapage et je pense que le boss va vouloir nous voir. Tu fais mieux de revenir. Ah oui… un photographe de presse a réussi à prendre des clichés de nos clients. C'est grave?

Ce dernier détail me fait tiquer. Si les belles grosses faces de ces gars se retrouvent à la une des journaux, ça va faire un sérieux remue-ménage au niveau diplomatique. Un membre du corps consulaire américain se fait descendre dans un restaurant avec un ancien des services spéciaux qui arrive de Moscou? Certains vont vouloir se renseigner. Les journalistes ne trouveront sûrement pas, en tout cas je l'espère, l'identité de Racine, mais celle d'un diplomate, ça ne se cache pas aussi facilement.

— Ça va, je m'occupe d'appeler les gars des homicides. Je vais leur demander de tenter de retarder la divulgation des identités. Mais une chose me fatigue : qu'est-ce que le gars de la Lloyd's faisait dans le décor ?

— C'est vrai, je ne te l'ai pas dit. Il devait surveiller Racine. Avant de quitter Moscou, Racine a pris une assurance de dix millions d'euros pour un attaché-case en disant qu'il s'agissait de plans secrets d'un ordinateur miniature totalement nouveau et qu'il devait acheminer ces plans à New York. Il a fourni des preuves à la Lloyd's. Des plans électroniques partiels. C'était lui le bénéficiaire.

Sans attendre, je raccroche. Claude a raison : mieux vaut que je sois au bureau. J'ai l'impression qu'on va avoir une grosse journée.

Je file une œillade concupiscente à Micheline.

— Non, Max, tu n'auras rien de moi. Tu peux rouler les yeux que tu veux, je te l'ai déjà dit, tu n'es pas mon genre !

— Moi, je veux bien, chérie, ne pas être ton genre. En autant que tu corresponds au mien, c'est le principal. Bon, écoute, je te prends à neuf heures et demie et je t'emmène souper. La

Régence, au Sofitel, ça te va ? Mieux, je t'y rejoins, d'accord ?

Je ne suis peut-être pas son genre, mais elle est toujours prête à faire des concessions sur ses opinions, cette charmante enfant. Elle accepte. J'ai un rendez-vous pour ce soir. S'agit de ne pas le manquer, depuis le temps que j'attends ! Je termine mon verre et je me pousse.

Rolland me voit sortir et m'interpelle crûment pour me rappeler qu'avec toutes mes histoires policières et amoureuses, il me reste une note à payer.

Dehors, je me dis que toute cette affaire n'a aucun sens. Voilà qu'on se retrouve avec trois cadavres, trois types abattus dans un petit resto bien tranquille de la rue Saint-Denis. Un des trois types est un ripou qui transporte une serviette assurée pour dix millions d'euros sous prétexte qu'elle contient les plans secrets d'un ordinateur. Il ne pouvait pas transmettre ça de façon plus simple, plus sécuritaire, ce con ? Je sais pas moi, mais aujourd'hui, il me semble que les encryptages des agences de renseignements sont assez sécuritaires pour qu'on puisse s'éviter de jouer à James Bond, comme en 1980. C'est vrai qu'il n'y avait peut-être plus accès puisque, si j'ai bien compris, il avait commis une indélicatesse qui l'a obligé à quitter les États-Unis. Probablement pour ça, d'ailleurs, qu'il a atterri à Montréal avec le Français. Histoire d'éviter de mettre les pieds aux States. Et à Montréal, ces deux gars-là rencontrent un délégué consulaire américain. Ça ne colle pas. L'espionnage industriel, les Américains laissent ça aux espions industriels, à moins qu'il ne s'agisse d'un truc stratégique. Mais si ça avait été le cas, justement, les plans auraient été codés et transportés par voie électronique ou par valise diplomatique. Et puis, la CIA n'aurait pas utilisé un type à qui elle a reproché de manger à deux râteliers. À moins que l'information voulant que Racine soit un ripou ne soit qu'un *frame-up.* Il y a aussi le fait que Racine est un spécialiste du monde du travail et qu'il rencontrait à Montréal un autre spécialiste américain des syndicats. Sans compter cette maudite assurance. Ça non plus, ça ne colle pas. Jamais les services spéciaux ne prennent ce genre de précautions.

Pour se faire accompagner par un garde du corps et couvrir sa mallette comme elle l'était, il fallait que Racine ait sérieusement peur de se la faire piquer. Elle devait contenir quelque chose de drôlement précieux. Et puis, s'il en était personnellement bénéficiaire, c'est donc qu'il n'avait pas pris cette assurance sur ordre de sa compagnie. Autre chose : le tueur savait que les Américains attendaient Racine à Montréal. C'est pas de l'industriel, ça. C'est de la politique. Reste à savoir qui a envoyé le tueur. Quel service avait intérêt à ce que ce type disparaisse ?

J'en suis là de mes pensées quand j'entre dans l'espèce de vieux collège sale qui nous sert de bureau. Gerbier, debout, finit de remplir le barillet d'un deuxième revolver, un calibre .22 à canon long, une arme de haute précision.

— Tu vas faire du tir olympique ?

Doucement, en faisant tourner dans sa main le barillet pour s'assurer que tout est au point, il laisse tomber :

— J'ai retrouvé le tueur. On va lui rendre visite.

Puis il empoche une arme plus lourde, moins précise mais redoutable entre ses mains, un calibre .45, qu'il traite mieux que la prunelle de ses yeux. Moi, j'ai la mâchoire inférieure qui me traîne sur les genoux.

— Comment tu as fait pour le retrouver ?

— Téléphone anonyme. Il est au Hyatt. On va vérifier.

Je n'en crois pas mes oreilles. Ce n'est pas possible : l'identité des victimes n'est pas révélée ! Pour ça, je fais confiance aux gars des homicides que j'ai contactés en marchant vers le bureau. À part celui qui a commandé l'opération, qui peut être au courant ? Les employeurs des victimes viennent à peine d'être prévenus. Je fais part de mes interrogations à Gerbier.

Lui, c'est l'agent efficace, le saint Thomas de la boîte, l'homme qui met le doigt dans la plaie pour s'assurer qu'elle existe, le type qui agit et réfléchit ensuite. Il en faut, on ne peut pas tous être poètes. Il répond :

— On va commencer par aller voir. S'il fait du tapage, on l'embarque et je te garantis qu'il va nous dire ce qu'il sait. Tu viens ?

Je vérifie mon arme, pour voir si elle est loadée. Comme je n'aime pas beaucoup ces joujoux, il m'arrive parfois d'oublier de les nourrir et j'ai déjà dû remercier Gerbier de sa présence et surtout de sa rapidité et de sa précision. Puis on file, en emmenant Bouboule, un de nos agents ; son surnom est tellement ancré dans ma tête que j'ai toujours de la difficulté à me souvenir de son nom de famille. Sa spécialité, c'est les récalcitrants. Mais il fait ça à la mitaine, comme dans le bon vieux temps, à grands coups dans la gueule des gens qu'il ne fréquente pas.

Un soir, quand on était narcs, on l'avait emmené pour bulldozer une porte. Il avait réussi mais, subitement, on l'avait vu ressortir aussi vite qu'il était entré, ce qui avait impressionné pas mal de camarades car, enfin, on ne déplace pas une masse pareille en soufflant dessus. C'est que derrière la porte se tenait une espèce de géant énorme qui devait faire deux mètres. Quand Bouboule, sur son élan, avait débordé à l'intérieur, l'autre lui avait filé aussi sec un direct qui l'avait fait reculer de trois bons mètres. C'est ce soir-là qu'on avait su qu'il était chauve et coquet. Sa moumoute avait décidé de divorcer. Il avait le pif transformé en ratatouille et, franchement, le portrait était inquiétant. Même avec une mitraillette, je n'osais pas m'avancer. On n'était pas là pour liquider mais pour procéder à des arrestations et la montagne de tissus adipeux qui bloquait l'entrée venait de prouver qu'elle n'était pas d'accord et qu'elle ne ferait qu'une bouchée d'un type comme moi.

Bouboule, qu'on avait attrapé en marche arrière, a alors dit « Laissez-le moi ! » et il a foncé vers Goliath. Dans l'embrasure de la porte brisée, on assistait à la bataille, mémorable il faut dire – imaginez deux éléphants se battant dans votre chambre à coucher – et on faisait des gageures. Tout le monde avait misé sur Goliath mais Bouboule a tenu dix secondes de plus. Il en a été quitte pour une dizaine de jours de convalescence. Bref, c'est de l'humain en santé, conçu pour agir, pas pour faire de la philo.

Le Hyatt, c'est un hôtel bien. On y mange très mal au casse-croûte mais les cuisiniers de la salle à manger sauvent la réputation de l'établissement.

Le décor est absolument splendide. Situé au cinquième étage du Complexe Desjardins, le hall surplombe toute la grande place intérieure et donne le vertige à ceux qui ont le foie sensible. Quand on veut monter aux chambres, il faut attendre l'ascenseur devant la piscine où badinent les hôtesses de l'air en transit. Ce doit être un peu déprimant, d'ailleurs, de voir toutes ces mignonnes en bikini quand on sait qu'on va s'enfermer tout seul dans sa chambre.

— Max, t'as vu la belle petite, là-bas, en maillot rouge? demande Bouboule d'un ton sirupeux.

Le gros, il n'a peut-être pas le look Armani, mais pour le coup d'œil, il est tout là. La petite chose vêtue de rouge qui se fait rôtir sous les lampes solaires est absolument magnifique. Ses cheveux blonds attachés derrière la nuque, elle offre un visage parfait aux lèvres sensuelles. Les cordons détachés de son soutien-gorge laissent deviner des seins fermes, bronzés, qu'aucune main ne semble avoir jamais manipulés. Elle a un ventre creux et noueux, ce qui est signe d'une vigueur musculaire certaine et des cuisses rebondies qui vous font craindre les effets d'un ciseau de jambes réussi par cette délicate personne. Mais comme je suis homme à aimer le risque, je me dis que je l'affronterais bien en combat singulier.

Gerbier, lui, regarde d'un œil morne, perdu dans ses pensées. Il est toujours comme ça. Quand il soupçonne un danger, il devient tout drôle. On dirait que ça le calme. Il ne dit plus un mot, il a le regard terne et quand il marche, on a l'impression d'un personnage filmé au ralenti. À croire que chacun de ses mouvements est décomposé. J'en ai connu d'autres comme lui, dans ma carrière. Des truands, surtout. Ils étaient tous dangereux. Gerbier fait partie de ce groupe et finalement, c'est rassurant qu'il soit de notre côté de la clôture. Autrement, les flics auraient probablement sa binette dans leur collection de photos.

La fille au bikini rouge nous tire une langue rose. Vus d'en bas, on doit avoir l'air idiot, à la fixer comme ça. Ennuyée, elle enfile un peignoir pendant que Gerbier nous signale que l'ascenseur est à quai.

— C'est au 1113.

— Ça va pas ? s'inquiète Bouboule en le regardant.

Un bon caractère comme lui, ça ne comprend pas qu'on puisse avoir le trac. Lui, il fait son travail avec plaisir, sans se poser de questions. S'il le faut, il ouvre le feu, il tape dur, mais quand c'est terminé, sa bonne humeur revient.

L'ascenseur stoppe au onzième étage. On lit les indications pour savoir la direction à prendre et, Bouboule en tête, on fonce. À la porte, Bouboule prend la clé électronique obtenue de la direction, qui a fait des histoires parce qu'on n'avait pas de mandat. Mais quand j'ai expliqué au directeur qu'il ne faudrait que cinq minutes pour l'avoir et qu'on reviendrait avec des flics en uniforme, il est allé distiller sa rancœur dans son bureau après avoir ordonné de nous remettre un double.

Gerbier a sorti l'artillerie lourde et il attend qu'on déverrouille. Bouboule actionne le loquet le plus discrètement possible puis donne finalement un coup de pied dans la porte, qui s'ouvre à toute volée pendant que Gerbier, l'arme au poing, se jette en boule à l'intérieur. Moi, les deux mains sur mon arme, je me braque dans l'embrasure.

CHAPITRE 2

— Y a personne.

On entre tous et on referme. La fouille débute. On trouve des papiers au nom de A. Goldsberg, citoyenneté française, résidence Paris. Puis des effets féminins : une trousse de maquillage, un jean dans la garde-robe, une chemise à carreaux, une robe d'une taille au-dessus, une gaine et un soutien-gorge pour super-lolos. Deux femmes, à première vue. Il y a aussi un porte-perruque.

Un déclic dans la serrure nous immobilise. Gerbier a de nouveau son arme en main. Le gros s'est tassé dans l'angle du mur. La personne qui entre va prendre une drôle de mornifle si elle essaie quoi que ce soit contre Gerbier, à condition, bien sûr, qu'il laisse au gros le temps d'agir. Moi, j'ai à peine le temps de gagner les toilettes, mon arme à la main et de refermer la porte, que celle de l'entrée s'ouvre. De l'endroit où je me trouve, je ne pourrais pas intervenir sans risquer de me placer dans la ligne de tir de Gerbier. Je devrai attendre mon tour.

Je ne vois rien, mais j'entends Gerbier dire :

— Allez, ma poule, avance, faut qu'on te parle…

Visiblement, la personne ne veut pas obtempérer. Il répète son ordre sur un ton qui ne laisse plus de place à la discussion.

J'entends un bruit épouvantable : une porte que l'on claque avec une violence inouïe.

— Cal… de cr…, elle m'a eu !

Juste comme je pousse la porte de la salle de bains, mes deux compagnons passent à la course et ouvrent celle de la chambre. Alors là, il y a un drôle de spectacle. Sitôt la porte ouverte, Gerbier reçoit un coup de pied dans la gueule et recule sur le gros qui, trop surpris, n'a pas le temps d'esquiver un deuxième coup de pied qui lui atterrit en plein sur le nez. Le gros fait comme Gerbier et va rejoindre le tapis.

Moi, je me retrouve devant une madame qui me tient en joue avec l'arme de Gerbier. Je réalise à peine que mes deux idiots viennent de se faire mettre knock-out et que je suis moi aussi pris au piège. Comme la personne devant moi a l'air particulièrement décidé, j'ouvre la main et je laisse tomber mon arme.

— Tournez-vous !

Ce que je fais. S'allument alors devant mes yeux des centaines d'étoiles et j'ai le net sentiment, avant de tomber dans les pommes, qu'une partie de ma tête prend subitement du volume…

* * *

— Bon, il commence à sortir du coma…

Ça, c'est cette grosse torche de Bouboule. Je le reconnais. En ouvrant les yeux, je l'aperçois, penché sur moi, le nez bourré de bouts de kleenex, les deux yeux au beurre noir. Il est « cute », décoré ainsi. Il y a aussi la tête de Gerbier par-dessus l'épaule de Bouboule. Il n'est pas vraiment plus beau. Sur la tempe gauche, il a une énorme bosse qui saigne encore un peu. De temps en temps, il s'éponge avec une serviette.

— Mets-lui de la glace sur sa prune.

Le gros se lève et je l'entends fouiller dans un bol. Il revient, me soulève la tête et, soudain, ça me fait horriblement mal, ce qui me réveille complètement.

— C'est assez, Bouboule. Tu vas m'achever !

Chancelant, je me relève, bien soutenu par mon monstre-maison.

— Dis donc, ricane Gerbier, elle ne t'a pas abîmé le portrait autant qu'à nous mais il t'a fallu un sérieux moment pour récupérer.

Je me rappelle. Mes deux gars étendus par terre, la fille qui tient le morceau de Gerbier et qui me braque. Après, ma chute dans le sirop. Ça m'indispose.

— Voulez-vous m'expliquer ce qui s'est passé ? prononçai-je faiblement mais très fermement.

Bouboule, occupé à tordre des bouts de kleenex pour se les fourrer de nouveau dans le nez, me détaille notre aventure.

— Ben, elle nous a simplement assommés.

— Ça, je m'en doute… mais comment ?

Gerbier prend la relève.

— Quand la porte s'est ouverte, je me tenais un peu plus loin, environ au milieu de la chambre. La fille au maillot rouge s'est pointée et…

— Comment, c'est la poule qu'on a vue en bas ?

— Oui.

Ça me revient, maintenant. Avant de recevoir mon coup d'endormitoire, je l'avais aussi reconnue. Gerbier revient à la charge.

— Donc, quand elle a ouvert la porte, je lui ai dit d'entrer. Elle n'a pas bougé. Je lui ai ordonné une deuxième fois d'entrer mais cette garce m'a simplement claqué la porte au nez sans que j'aie pu réagir. Tu comprends, elle n'avait pas lâché la poignée et la porte était à demi-ouverte. Quand j'ai vu ça, je me suis rué à l'extérieur pour courir après mais, justement, elle ne s'était pas sauvée. Elle m'attendait, dans le couloir, plaquée contre le mur. En ouvrant la porte, j'ai ramassé un coup de talon sur la tempe. J'ai tout de suite dit « bonsoir »… après, je ne sais plus.

Le gros narre la suite.

— Moi, j'ai été surpris quand le p'tit gars s'est mis à courir. Le temps que je réagisse, il avait atteint la porte et il l'ouvrait. Je me suis garroché derrière lui et je l'ai reçu dans les bras au moment où je voyais la fille qui allongeait de nouveau une jambe dont j'ai reçu le pied en plein museau. Moi aussi, j'ai pris le plancher. Mais toi ?

Bouboule m'interroge de ses deux yeux noirs remplis d'eau, tout en se fourrant des boulettes de papier-cul dans le nez. Il en a pour une quinzaine de jours à remettre sa plastie en place. Moi, je suis encore moins fier que mes deux héros. Eux, ils ont été pris de vitesse et ont été obligés de prendre des tickets.

— En ce qui me concerne, j'ai juste eu le temps de te voir t'étendre que la fille me pointait avec le .45 de Gerbier. J'ai laissé tomber mon arme et elle m'a dit de me retourner.

Se tapotant la tempe avec sa serviette, Gerbier ricane.

— Allo, les surhommes ! Trois gars qui se font coucher par une petite femme. Quand je pense que vous étiez tous les deux en pâmoison devant cette gribiche, tantôt, à la piscine. Il y a de quoi rire. En attendant, votre chérie a fait ses valises, en emportant tous les balles de nos armes. Elle est déjà ben fine de nous les avoir laissées. Chose certaine, cette poule a quelque chose à voir avec notre histoire, sinon elle ne nous aurait pas démolis comme ça. Elle se serait plutôt mise à gueuler et elle aurait ameuté la sécurité. Après, on aurait eu bien du plaisir à expliquer ce qu'on fait ici.

Il a raison. La fille s'est contentée de nous coucher, de faire ses valises et de quitter la place, sans faire de scandale. Elle n'est pas très catholique et elle trempe sans doute dans notre histoire. Sauf qu'on cherchait un tueur qui, selon une information anonyme, se planquait au Hyatt et voilà qu'on tombe sur une pin-up qui pratique la savate comme d'autres enlèvent leurs slips.

— On va aller voir les registres de l'hôtel. C'est par là qu'on aurait dû commencer. Bouboule, tu t'occuperas du service de location de voitures de l'hôtel. Je veux avoir la liste de tous ceux qui ont loué un véhicule dernièrement. Vas-y gentiment, en demandant des renseignements. Juste à te voir, le commis risque de tomber dans les pommes tellement tu fais peur.

Mon paquet de muscles jérémiade. À son avis, un officier n'a pas le droit de se foutre de la gueule de ses subordonnés quand ils se sont fait démolir le portrait en plein boulot. À ça, il ajoute que c'est toujours ceux qui commandent qui ont droit aux gentillesses. La preuve, dit-il, la fille m'a frappé derrière le bol, laissant ma fraise intacte alors qu'eux ont reçu le coup en plein museau. Gerbier en rajoute en disant qu'il faudra se pencher sérieusement sur des programmes d'assurance-accidents conséquents mais je n'écoute plus. Ma montre indique que je suis resté dans le sirop pendant une heure, de sorte que notre demoiselle a largement eu le temps de prendre l'air. Si elle a quelque chose à voir avec nos meurtres, elle se sera sûrement inscrite sous un faux nom et nous perdrons notre temps à la rechercher. À moins qu'on ne retrouve son minois à la morgue de la police, ce qui m'étonnerait. N'empêche que je devrai me payer cet exercice. Je ne suis pas près d'oublier son portrait. Quand je pense m'être dit qu'elle devait avoir un ciseau de corps particulièrement dangereux. À voir la tête de mes petits copains, m'est avis que j'avais raison de croire qu'elle a les jambes solides. Les bras aussi, si j'en juge par la bosse que j'ai derrière la tête.

En sortant de l'ascenseur, il y a une chiée de flics en uniforme qui attendent. En nous voyant, il y en a un qui nous pointe du doigt et un motard avec un casque dur sur la tête et des galons cousus sur les manches de sa veste de cuir s'approche pendant que je vois les autres flics détacher la sangle qui retient leur pistolet dans l'étui. Il y a même deux petits rigolos qui ont déjà dégainé.

— Vos papiers, s'il-vous-plaît…

Le ton est catégorique, pas négociable.

— Écoutez, sergent, je suis le lieutenant Saint-Ours et voici les sergents Gerbier et Bou…

— Dulude, me coupe le gros.

Le motard n'est pas impressionné.

— Vos papiers, répète-t-il.

Je crois sincèrement que le moyen le plus rapide de se défaire de ces emmerdeurs est d'obtempérer ; je cherche mon porte-plaque. Je dis bien : je cherche. Parce que je ne l'ai pas.

— Claude, montre le tien, j'ai oublié le mien.

Mais tous les trois on a compris. Elle nous a piqué nos insignes. Le gros fronce les sourcils, ce qui provoque une montée de sang dans ses yeux et une chute idoine de son nez. Gerbier et Bouboule ont beau chercher leurs insignes, ils ne les ont pas non plus.

— Embarquez-moi ces gars-là, crache le motard.

Ses bœufs se pointent aussitôt avec des menottes.

— Sous quel prétexte nous arrêtez-vous, sergent ?

— Effraction, avoir pointé une arme, menaces, usurpation d'identité. Vous en voulez d'autres? Oh, en passant, les petites filles, fouillez-moi ces trois rigolos, je ne veux pas de surprise.

Des mains bien entraînées nous palpent. Mon arme quitte son étui. Le .45 et le .22 de Gerbier changent de mains ainsi que le .38 à canon long du gros.

Le sergent jette un coup d'œil sur notre arsenal.

— Belle collection…

Nos armes, il faut bien l'avouer, ne sont pas très réglementaires, d'un strict point de vue policier. Je fulmine. L'accumulation de ces détails va nous faire perdre un temps énorme. Les motards vont nous conduire à un poste local où on ne connaîtra personne et, le temps d'appeler le boss pour qu'il nous sorte de là, on en a pour un bon moment.

Après nous avoir lu nos droits, les bœufs nous poussent devant eux, sans ménagement. Le gros manque une marche, part de l'avant et va se péter le nez sur un sofa, ce qui ramène son robinet à la puissance maximum. Cet incident l'amène à crier à l'humanité présente que les flics sont tous des morceaux de cochon dont il faudrait se débarrasser et que lui, Bouboule, il se chargera un jour de dégager l'horizon d'un de ces truands. Comme quoi l'humain n'apprécie pas toujours qu'on lui fasse ce qu'il fait aux autres.

Le directeur de l'hôtel nous voit partir avec un sourire satisfait.

Au poste de police, après une nouvelle lecture de nos droits, on nous a offert de téléphoner à un avocat. Gerbier et Bouboule ont haussé les épaules, sachant que j'allais régler la question. J'ai effectivement demandé à faire un appel et j'ai composé le numéro du boss. Je me suis contenté d'expliquer la situation à sa secrétaire en lui demandant de s'occuper de nous tirer de là, compte tenu de ce que le boss, évidemment, était en meeting. Ce qui m'arrangeait bien parce que je n'avais pas l'intention de lui expliquer ce qui se passait. J'aurais ce plaisir bien assez tôt.

Finalement, nous n'avons perdu qu'un total de trois heures.

Franchement, je commence à en avoir plein le dos de cette histoire. Des étrangers viennent se faire liquider chez nous, on ne sait pas pourquoi, on n'a pratiquement aucune possibilité de retrouver le tueur et voilà qu'un « stool » nous indique où il se trouve. On s'y rend, on tombe sur une amazone qui nous met knock-out et on se fait embarquer par nos propres soldats. Pour un après-midi foireux, c'est assez réussi !

— Bouboule, vas voir Germain et essaie de voir si cette fille n'apparaît pas dans la collection de photos. Claude, tu prends le bord de l'hôtel. Vérifie si le nom sous lequel cette charmante jeune femme s'est enregistrée est bien Goldsberg. Passe aussi au service de location de voitures et discute un peu avec le gérant de l'hôtel pour savoir pourquoi il nous a fait arrêter. Il a vu nos insignes, lui. Aussitôt que tu as ces renseignements, ramène-toi. En passant, après vous êtres réveillés, vous avez fouillé la chambre ?

— Plutôt deux fois qu'une, répond Gerbier. On n'a rien trouvé mais je peux m'y remettre si tu veux.

— Non, non, ça va. OK, allons-y. Moi je vous attends au bureau. Je vais compiler les rapports des homicides et voir s'il n'y a rien à en sortir.

Gerbier saute dans un taxi pendant que Bouboule et moi on en affrète un autre. Rendu à la piaule, le gardien de sécurité me fait des histoires sous prétexte que je n'ai pas de papiers et après lui avoir promis de lui faire sa fête s'il ne me laisse pas entrer il me fait savoir que quelqu'un m'attend dans mon bureau.

— Un petit rigolo avec les dents cariées et un crâne luisant, a-t-il précisé.

Mentalement, je me fais une image pas très jolie mais je ne vois pas qui ça peut être.

La première chose que j'aperçois en poussant la porte, c'est deux pieds qui reposent sur mon bureau. Le reste m'apparaît. Un habit tout ce qu'il y a d'ordinaire, avec au-dessus une face de fouine qui rigole, montrant des dents pourries, de petits yeux porcins qui mettent encore plus en évidence le front haut du personnage.

— Il est temps que tu arrives ! me dit la caricature.

— Tes pieds…

— Ben quoi, mes pieds ?

— Dépose-les par terre, tu salis mon pupitre et tu sais comme je suis maniaque.

Sans bouger, l'individu rigole et allume une cigarette pendant que je prends place. Michel Longtin ! Des années que je ne l'avais pas vu. Un bon flic qui a préféré quitter la police officielle le jour où il a été accusé de conflits d'intérêt. Il avait alors une petite entreprise de détectives privés et on l'accusait de se fournir à même notre banque de renseignements. On lui avait demandé de choisir et il avait pris la voie du privé. Ça devait certainement être payant parce que Longtin fait rarement quelque chose sans qu'il y ait de l'argent au bout.

— Toujours dans le privé, Michel ?

— Toujours, Max, toujours… D'après ce que je vois, en ce qui te concerne, tu travailles toujours pour te faire une retraite pénible.

Je hoche la tête. Après tout, on gagne raisonnablement notre vie et, au moins, je n'ai pas à jouer entre les maris jaloux et les amants possessifs.

— Tu fais toujours dans le caleçon ?

Il a l'air tout étonné.

— Comment, répond-il, tu ne sais pas ? J'ai tout liquidé, je n'ai plus qu'un seul client.

Longtin, il me tombe sur le gros nerf aujourd'hui. Je ne veux pas connaître sa vie ni ses aventures. J'ai d'autres chats à fouetter.

Enlevant ses pieds de ma table de travail, il devient sérieux, se penche vers moi comme s'il allait faire de graves confidences et me demande si réellement je ne veux pas savoir qui est son client. Je lui réponds que je m'en fous et je tente intérieurement de m'en convaincre. Pourtant, il y a quelque chose qui m'intrigue. Longtin, on le voit surtout du côté des fraudes, à ce qu'on m'a dit.

— Écoute, Max, je vais te le dire quand même. Mon employeur, c'est la Lloyd's. Je suis l'enquêteur privé de ces messieurs pour tout l'est du Canada. Alors ? On se parle ?

Honnêtement, il me surprend et ça doit paraître. Pourtant, si je n'accepte pas les officiels étrangers, je ne vois pas ce que je foutrais avec un privé dans mes pattes.

— Et alors ? je réponds.

— Et alors? Max, Max, fait-il d'un ton condescendant. Ça fait bien trop longtemps qu'on fait cette job pour que tu essaies de me faire marcher comme tu tentes de le faire. Tu comprends? Non? Bon! OK! Je t'ai vu sortir du Tettrazini, au début de l'après-midi. Ça veut donc dire que tu es sur l'affaire et tu sais que la Lloyd's y est impliquée. Alors, arrêtons de jouer et parlons franchement. Allez-vous remettre cette valise à son destinataire ?

CHAPITRE 3

Il y a des matins, je crois, où il vaut mieux lire son horoscope et le respecter à la lettre. Exemple : quand on vous annonce que ce sera une mauvaise journée, il faut rester au lit de toute urgence. Ça doit être une journée comme celle-là, aujourd'hui.

Mes services se sont fourrés le nez dans l'enquête et nous avons laissé les gars des homicides faire le travail habituel. Or, les effets personnels des victimes que j'ai demandés, je ne les ai pas encore reçus. De sorte que j'ignore si la précieuse mallette est au nombre de ces objets. La question de Longtin me rappelle qu'en l'examinant, on y trouvera peut-être les raisons du carnage. Ce qui m'intrigue, c'est pourquoi la Loyd's se préoccupe encore de cette valise puisque, de toute façon, le bénéficiaire de l'assurance est décédé. Je fais part de mon interrogation à Michel.

— Racine avait pris une assurance dont il était le bénéficiaire, c'est vrai. Mais il avait fait ajouter une clause concernant les héritiers légaux. Ce qui fait qu'on ne veut pas voir disparaître l'attaché-case.

Je téléphone au bureau de Germain qui doit fouiller la morgue-photo avec le gros. C'est justement lui qui répond.

— Max, la fille n'est pas au fichier. Germain n'a jamais entendu parler d'un boxeur dans son genre. Je fais comme tu as dit, je dresse un portrait-robot mais je te ferai remarquer que le boss avait demandé de couper sur les heures supplémentaires, une politique qui fait drôlement mon affaire, surtout ce soir parce que Raymonde a acheté des petites bavettes et…

Je le coupe. Le gros, les bavettes, c'est son vice. Si je ne l'arrête pas, il va m'expliquer en trois volumes comment faire cuire une bavette à l'échalote et me dire le pourquoi et le comment des raisons qui font qu'une bavette ne se laisse bien manger que lorsqu'elle est bleue. Ça me rappelle que je n'ai pas bouffé depuis longtemps et que j'ai promis un bon repas à Micheline.

— Bouboule, finis le portrait-robot. À l'ordi, ça doit quand même aller plus vite que dans le temps. Tu m'apporteras les effets personnels de nos clients et, surtout, j'ai besoin de la mallette qu'ils avaient avec eux. Tu pourras partir après. Sais-tu si Claude est revenu de l'hôtel ?

— L'ai pas vu… Minute, je demande à Germain pour ton attaché-case.

Je l'entends qui baragouine quelque chose. Devant moi, Longtin est devenu transparent.

— T'es malade ?

Mais il n'a pas le temps de me répondre parce que j'entends Germain qui s'engueule avec le gros. Finalement, le spécialiste du portrait-collé prend l'appareil.

— Max, les homicides m'ont bien envoyé tous les effets personnels des gars mais il n'y a pas d'attaché-case. Tout ce que j'ai, c'est des vêtements pleins de sang, de l'argent et les valises qu'ils avaient laissées à l'hôtel. Je n'ai même pas leurs papiers. Il paraît que c'est toi qui les as. Je vais appeler Langelier aux homicides pour savoir ce qu'il a fait de l'attaché.

Je raccroche sans saluer. Longtin a repris un peu de couleur.

— T'as eu un malaise ?

— Légèrement, oui. C'est Gerbier que tu as envoyé à l'hôtel ?

— Oui. Comment tu sais qu'on est allés au Hyatt ?

— Tu viens de le dire au téléphone. Et puis, c'est moi qui vous ai prévenus, cet après-midi. Seulement, je ne pensais pas que tu déléguerais Gerbier. Il va faire du gros caca, lui. Il a la détente sensible pour un travail de ce genre. Surtout quand il sait qu'il va affronter un bonhomme qui fait autant de grabuge que lui.

Je suis sidéré. C'est Longtin qui est responsable de la volée qu'on a reçue, même s'il ne le sait pas !

— C'est toi qui nous a envoyés au Hyatt ? Et veux-tu me dire pourquoi tu nous as expédiés là, s'il te plaît ?

— Très simple. J'ai reçu un courriel de Londres me demandant de surveiller Racine et Rougier. On avait confiance en Rougier, mais l'assurance prise par Racine était tellement spéciale que le siège social a décidé de doubler la protection. Je les ai suivis partout pendant leur séjour et je les attendais devant le restaurant quand j'ai vu ce type mettre sa voiture en double file, en descendre et faire le travail que tu sais. Je l'ai vu ressortir les mains vides, ce qui m'a rassuré sur le sort de la serviette et j'ai décidé de le suivre. Il s'est rendu au Complexe Desjardins et il a remis la voiture au service de location. Je me suis stationné et je l'ai suivi. Il est allé au Hyatt, a pris un verre au bar, a ensuite utilisé le téléphone interne et est monté au onzième, avec moi. J'ai fait semblant de chercher les numéros et après lui avoir laissé prendre un peu d'avance, je l'ai vu qui entrait au 1113. Je suis redescendu et je vous ai appelés.

Voilà qui éclaire ma lanterne. Je viens de connaître notre mystérieux informateur et je suis maintenant convaincu que la fille au léger maillot rouge est impliquée dans ce coup. Par la même occasion, je vais pouvoir connaître le nom du monsieur, puisqu'il a loué une voiture. Même s'il a utilisé un faux nom on pourra probablement le retracer.

— Dis-moi, mon bel ange, à quoi il ressemble, le monsieur ?

La figure de Longtin prend une expression de surprise et il m'interroge avec l'air du gars qui est sûr de poser une question idiote.

— Vous ne l'avez pas intercepté ?

— Non... Et en passant, on n'a pas non plus ton attaché-case. On vérifie avec les homicides.

— Comment ça, tu vérifies avec les homicides ? Tu n'es pas des homicides ?

— Laisse tomber, ce serait trop long à expliquer. Parle-moi un peu du tueur.

À voir sa gueule, on se rend compte qu'il n'est pas très heureux, Longtin. C'est surtout la dernière nouvelle qui lui fait mal. Tout en fouillant dans ses poches pour en retirer un calepin, il m'explique qu'on doit avoir l'attaché-case puisque Rougier le portait quand ils sont entrés dans le restaurant et que le tueur en est ressorti les mains vides. En fait, l'assassin, il s'en fout posément. Ce qui l'inquiète, c'est la serviette. Je ne comprends d'ailleurs pas pourquoi puisqu'il est payé au pourcentage de la prime à verser si l'objet disparaît… et qu'il le retrouve.

Terre à terre, il m'explique qu'il n'a pas pour unique travail de retrouver des biens disparus. Il doit aussi en assurer la sécurité, parfois, question de conserver un contrat si important.

— Remarque, poursuit-il, ils payent pour la sécurité. Mais c'est sûr que c'est moins intéressant qu'au pourcentage. Bon… ton tueur… en passant, il n'y a pas de caméras, dans la rue Saint-Denis ?

— Oui, je devrais recevoir les bandes bientôt… Si le système fonctionnait…

— OK. Donc, je disais. Voilà. Un homme fin de la trentaine, vêtu comme un homme d'affaires, c'est-à-dire un costume gris, neutre. Aucun détail remarquable si ce n'est qu'il a les cheveux gris argent et relativement longs pour un homme de cet âge. En fait, ils lui arrivent au bas de l'oreille. Il ne porte pas de bijoux, du moins je n'en ai pas vu. Il a un tic : il joue constamment avec un carton d'allumettes. Il ne parle pas français. En tout cas, au bar, il a commandé son verre en anglais. Il était à bord d'une Chrysler de Canada Rent-a-Car immatriculée Québec ZZ 33647. Voilà. C'est tout ce que je sais.

Sur ces confidences, mon téléphone grelotte.

— Max, dit Gerbier immédiatement, le gérant du Hyatt c'est pas un bavard. Faut savoir comment le prendre mais j'ai eu ce que tu voulais et même un peu plus. En ce qui concerne notre arrestation, il n'est pas intervenu parce qu'il voulait que ça fasse le moins de bruit possible et que ça finisse au plus vite. Bon, la fille maintenant. Elle s'est enregistrée sous le nom d'Annette Goldsberg, comme l'indiquaient les papiers qu'on a trouvés dans sa chambre mais la petite qui travaille à la réception dit qu'elle avait été surprise parce qu'elle se rappelle très bien que la dame au maillot rouge avait un gros accent étranger. À cause du nom, la réceptionniste a cru qu'elle était allemande ou anglaise et qu'elle vivait en France. Premier point. Autre chose : elle était seule, personne ne partageait sa chambre. Je me suis assuré de la chose auprès de la femme de chambre que j'ai attrapée au moment où elle allait partir. Pour la voiture, je me suis payé la tournée des trois services de location existants dans l'édifice. En tout, il y a six voitures blanches à louer. J'ai relevé tous les noms. Plusieurs des locataires n'habitent pas l'hôtel. Mais il y en a un qui y logeait et qui est parti cet après-midi.

Le détail est intéressant et, normalement, je dirais à Gerbier de vérifier tout cela de plus près, de s'enquérir de l'emploi du temps de chacun des locataires de voitures, d'examiner leur curriculum à la loupe mais, aujourd'hui, c'est inutile. On nous sert tout sur un plat d'argent et, dans un certain sens, c'est frustrant. Ça l'est d'autant plus que malgré toutes ces indications, on finit toujours dans un cul-de-sac.

Me penchant sur un papier, je donne le numéro d'immatriculation de la Chrysler identifiée par Longtin, en lui précisant que c'est la voiture du tueur et qu'il doit la mettre sous séquestre, question de permettre aux experts de voir s'ils n'y retrouveraient pas quelque chose. Une empreinte génétique, par exemple, ce ne serait pas bête du tout.

— Mais comment tu sais que c'est cette voiture-là ? demande Gerbier.

— Ton informateur anonyme m'a donné d'autres renseignements. En fait, il est assis devant moi. C'est Longtin.

La réaction de mon interlocuteur ne tarde pas. Gerbier et Longtin, ça n'a jamais été le grand amour. Moi non plus, je n'aime pas beaucoup les flics privés mais quand ils peuvent servir…

— C'est ce morveux qui nous a envoyés prendre la volée ? Attends un peu que je le vois, je vais lui rendre le même service.

— Suffit. Pour l'instant, tu te rends au service de location, tu trouves le nom du bonhomme, tu vérifies tout ça, tu saisis la bagnole et tu ordonnes au fichier de nous trouver toute la vérité, rien que la vérité sur notre client si, bien sûr, une des polices nord-américaines a quelque chose sur lui. Exige des détails physiques du monsieur. Longtin en a mais on n'a pas encore reçu les bandes vidéo des caméras de rues. Avec tout ça, on devrait pouvoir faire son portrait.

Gerbier tente de m'expliquer que s'il est resté dans le service, c'est parce qu'il a toujours été tiraillé entre son goût pour l'aventure et son appréciation du fonctionnarisme et que, justement à ce sujet, il me rappelle qu'il sera rémunéré au tarif de temps double pour sa soirée. Je lui dis que je me fous de son salaire et de ses horaires de travail comme de ma première culotte et que je veux ces renseignements dans la soirée. Je raccroche.

Très honnêtement, je suis de mauvaise humeur. J'ai encore mal au crâne et je possède le net sentiment de ne pas maîtriser la situation. Un peu comme le type qui glisse d'un toit et qui tente de freiner sa descente en s'accrochant des dix doigts aux bardeaux.

Longtin est debout, prêt à quitter le bureau.

— Michel, tu peux nous aider à établir le portrait-robot ?

Il hausse les épaules, ce qui, dans toutes les

langues, signifie qu'il ne s'agit pas là de sa première préoccupation.

— Commence par voir s'il n'apparaît pas sur les bandes vidéo. S'il n'y est pas, je reviendrai.

Il a raison. Depuis le début de cette affaire, Longtin a toujours eu le dernier mot. Mais qu'il soit maintenant dans mon bureau indique clairement qu'il a joué ses dernières cartes. Maintenant, il a besoin de nous.

Il me balance un petit carré de carton sur le bureau.

— Mon téléphone, explique-t-il. Tu peux me joindre vingt-quatre heures par jour. En tout cas, appelle-moi aussitôt que tu as des nouvelles de l'attaché-case. Ça ne dérange pas la compagnie s'il est entre vos mains mais ça nous inquiéterait sérieusement que vous ne sachiez pas où il est rendu.

Comme un service en attire un autre, je lui demande de me remettre tous les renseignements concernant les héritiers légaux de Racine. Il promet de m'expédier le détail par courriel et il se pousse.

J'ouvre le tiroir de mon bureau pour y prendre une chemise propre et une cravate.

J'en ai toujours dans une petite valise. Une habitude que j'ai prise alors que j'étais tout jeune policier et que j'avais constaté que les horaires de travail de ce métier sont parfois bien longs. D'avoir des vêtements propres, après une nuit blanche et turbulente, ça permet de se refaire une image à peu près humaine et, surtout, de se gonfler le moral. Je suis torse nu lorsque Bouboule entre, un papier à la main. Il laisse échapper un petit sifflement admiratif et me place sur l'épaule une manche de veston contenant pas moins de dix kilos de viande dure et pas très fraîche.

— Ça lui ressemble? qu'il dit en me montrant le portrait.

Le gros a accompli du bon travail pour un type qui s'est fait tuméfier la fraise à coups de talon. Pas à dire, il l'avait dans l'œil, la poule.

— C'est en plein ça, mon tout petit.

L'expression le fait rire, ce qui est plutôt horrible à voir. D'un seul coup, on dirait qu'il vient de se prendre un doigt dans une prise de 110. Ses yeux se gonflent encore plus, des filets de sang parcourent subitement le blanc de l'œil, son gros nez éclaté se remet à pisser et les épaules lui sautent, de sorte qu'il rougit une bonne partie du quartier.

Épongeant cet épanchement avec la manche de son veston qui, de toute façon, est irrécupérable, le gros répète le qualificatif « tout petit ».

— Tu sais, Max, ce serait un grand malheur pour moi que tu dises la vérité. Avec tout ce que j'ai investi là-dedans, prononce-t-il en se frottant le ventre, j'espère que j'ai droit à plus de respect. C'est du vrai lard, ça !

Le gros, son rêve, ça doit être d'avoir un tour de taille plus célèbre que celui du Grand Antonio. Sur ce, j'enfile ma chemise, ma cravate, mon veston et pousse Bouboule hors du bureau, en plaçant le portrait-robot de la fille dans mon porte-monnaie. Terminé pour aujourd'hui. Maintenant, je m'attaque à une autre sorte de problème : Miche…

CHAPITRE 4

Au bout du compte, la journée aura été satisfaisante. Bon, j'ai eu mon lot d'émotions et j'ai l'occiput qui me fait encore mal mais ça m'importe peu, maintenant. Le maître d'hôtel m'a enfoui dans un fauteuil aussi large que haut et je sirote un petit mousseux en attendant ma déesse. J'ai un peu d'avance et comme je suis certain qu'elle sera en retard, je jette un œil inquiet sur le niveau de ma demi-bouteille de mousseux. Ou c'est le temps qui passe rapidement ou je bois très vite. Honnêtement, je crois bien qu'il faille envisager la deuxième solution.

Exhalant un soupir à fendre l'âme d'un collecteur d'impôts, je lève un doigt exigeant pour attirer l'attention du serveur. Il me jette un coup d'œil presque intéressé et, comme je lui montre du doigt – ce qui ne se fait pas – ma bouteille vide, il se fend d'une courbette dont les grincements me parviennent.

Je vois Micheline entrer. Ouf! Elle est là, à la porte, qui demande un renseignement au maître d'hôtel qui, s'il n'était pas membre de l'internationale cycliste, ferait comme tous les mâles dignes de ce nom, c'est-à-dire qu'il serait soudainement pris d'une hernie aiguë qu'il fait plaisir à voir se dégonfler, surtout avec un peu d'aide. Quelle scène ! Dans la porte, cette charmante jeune femme offre à la vue des deux cents dîneurs non seulement une silhouette à la Angelina Jolie mais, en plus, elle leur permet d'admirer ce qui fait la beauté d'une silhouette. Elle a une blouse grise, en soie naturelle, très ample et aussi opaque qu'une vitre lavée, une jupe en ratine blanche, ce qui souligne très bien sa modestie, et des sandales grises qui s'harmonisent miraculeusement avec sa blouse. Pour compléter cet appareil, il n'y a qu'elle… À croire qu'elle n'a jamais entendu parler des dessous.

Pas de bas, pas de soutien-trucs, ce qui permet une analyse rigoureuse.

Je devrais me lever et aller l'accueillir mais je préfère regarder le spectacle.

De la main, elle me salue et entreprend une démarche qui fait en sorte que les cinquante tables de la Régence deviennent subitement bancales. Galant, sourire aux lèvres, je me lève, lui fait un baise-main tout ce qu'il y a d'aristocratique et je repousse le larbin qui se prépare à l'inviter à s'asseoir pour faire le travail moi-même. Finalement, je contourne la table et je m'écrase dans mon fauteuil. Il y a bien encore quelques dizaines d'yeux rivés sur son corsage mais les dames qui accompagnent les messieurs scrutateurs semblent avoir entrepris de ramener ces derniers à des idées plus légales.

— Tu vois, j'ai fait des frais pour toi, ce soir, Max. Je me suis procurée cette magnifique jupe cet après-midi. Tu l'aimes ?

Tu parles, Charles ! La jupe, je suis en train de souhaiter qu'elle soit semblable à la blouse. Comme ça, ça m'éviterait de chercher la suite logique des formes que je vois. Il n'y a rien au monde que je déteste plus que les bustes sculptés. Ça laisse toujours un goût d'inachevé. Finalement, je babille que j'aime bien la jupe mais que je préfère la blouse.

— Vous êtes tous pareils ! Vous ne pouvez pas regarder une femme autrement qu'à travers ses seins ou ses fesses.

Je reviens sur terre et je me dis que je ne suis quand même pas pour passer la soirée à me faire ramasser. Ça suffit pour aujourd'hui.

— Difficile de faire autrement quand vous nous offrez tout ça sur un plateau d'argent. Tu imagines, si les rôles étaient renversés ?

Elle a un sourire cynique, méchant.

— Ça n'intéresserait personne, sauf le maître d'hôtel, peut-être.

Il y a des journées où il vaut mieux rester au lit, je le savais.

Le serveur se ramène avec ma demi-bouteille de mousseux, ce qui me permet d'échapper aux sarcasmes de ma petite copine. Je précise au vendeur de bulles que je ne veux pas d'une demie puisque je ne suis plus seul et qu'il ferait bien de courir en mettre une complète au frais. Ce qu'il fait.

— Maxime, tu m'emmènes chez Bianca, après le souper ?

Mon nom prononcé au complet… Ça me touche, là, au fond, au très fond de moi-même.

— Oui, pas de problème. On ira vider une autre petite bouteille, si ça te tente. Mais personnellement, j'aurais des propositions d'un autre genre à te faire, après le repas.

Ses grands yeux se plissent, sa tête se penche et elle me regarde comme quelqu'un qui porte des lunettes et qui voudrait jeter un œil au-dessus.

— Tes propositions, dit-elle, tu les feras chez Bianca, en dansant… Si c'est négociable, on négociera. Sinon…

Le serveur revient avec ma veuve préférée et s'empresse de la décapsuler. Une fois servis, il nous demande quand nous voulons commander. Je lui fais comprendre que nous l'appellerons quand le besoin se fera sentir.

Le loufiat parti, nous parlons comme un couple de jeunes mariés et je lui narre dans le détail mes mésaventures de la journée. Elle rigole franchement à la pensée de nous voir tous les trois étendus raides par une femme. Cet éclat de rire imprime à sa poitrine des mouvements très inspirateurs et je m'empresse de lui faire un brin de cour, ce qu'elle accepte volontiers. Mais je dois charrier un peu trop car après quelques minutes, elle tourne la tête sans arrêt, à la recherche du serveur.

— Max, finit-elle par dire, j'ai faim… Appelle le serveur.

Je coupe court à mes divagations osées et je me lance à la chasse au serveur. Je le vois enfin derrière une colonne. Il condescend finalement à nous apercevoir et c'est avec une mine renfrognée qu'il s'avance. On y va dans le gratiné :

langoustes en entrée suivies d'un petit Châteaubriand, comme ça, pour donner l'exemple, avec un petit blanc et un petit rouge au nom respectable.

Les plats arrivent sur la table et le silence s'installe. Je me rends compte qu'il n'y a pas que Micheline qui a faim. A vrai dire, je ne mange pas, je dévore. Après l'entrée, ça va mieux. On relaxe un peu et cette fois, c'est Micheline qui babille. Elle m'explique des choses qui pourraient se passer après le repas et ça me fait tout chose, là, juste au niveau de ma bosse. On attaque sauvagement le Châteaubriand et, à grands coups de fourchette, on lui fait un drôle de sort ! Après, on ingurgite un petit expresso avec un cognac, question de faire accepter le tout. On est tous les deux très euphoriques et je me promets des heures de délice très prochainement.

Le serveur m'apporte la douloureuse, ce qui manque de faire disparaître l'effet enchanteur provoqué par le vin. Mais comme il n'y a rien de trop beau pour la classe ouvrière, je m'empare de mon porte-monnaie et, en l'ouvrant, j'échappe le portrait-robot que le gros m'a remis avant de partir. Le papier tombe tout juste à côté de Miche qui, avant même que j'aie pu me lever, le ramasse.

— C'est curieux, fait-elle, on dirait que c'est la fille qui était assise derrière toi.

Je sursaute et je me retourne mais il n'y a plus personne derrière nous. Nous sommes pratiquement les derniers clients.

— Tu es certaine ?

— Non, mais elle lui ressemble drôlement. C'est qui, cette fille ?

— C'est celle qui nous a donné une volée cet après-midi. Micheline, regarde bien ce portrait et essaie de te souvenir.

Elle reprend le papier entre ses doigts et pose dessus un regard perplexe, scrutateur. Après une trentaine de secondes, elle dit « écoute, je n'en suis pas sûre, je ne l'ai pas dévisagée, cette fille. Quand elle est arrivée, je me suis dit qu'elle était bien jolie, qu'elle te plairait sûrement et je n'y ai plus fait attention... Alors t'assurer maintenant qu'il s'agit bien d'elle, c'est plutôt difficile. »

Elle me tend la photographie.

J'ai déjà la main levée pour appeler le serveur, lequel, penché sur mon addition, suppute le montant qui lui revient, et accourt, subitement empressé. Je lui montre le portrait de la fille au maillot rouge, en même temps que je lui apprends que je suis une espèce de flic, ce qui ne semble pas l'impressionner, et je lui demande s'il connaît ladite personne.

— Bien sûr, c'est une cliente de l'hôtel. Il y a une semaine qu'elle est ici. Elle s'appelle Patrikov. Drôle de nom pour une Américaine.

— Comment savez-vous qu'elle est Américaine ?

Le petit brun à la tête de pub d'aspirine qui nous a fait le service prend subitement des couleurs. Il devient d'un beau rose.

— Bien, une fille comme celle-là, balbutie-t-il… Après qu'elle ait signé sa note, j'ai tenté de savoir qui c'était. On ne sait jamais. Des fois…

Un gars a le droit de s'essayer. Et puis, ce ne serait pas la première fois qu'on verrait une beauté se promener avec une esquisse de Picasso. Mais ces renseignements me plaisent et je lui octrois un pourboire plus que généreux, ce qui lui fend la face d'un large sourire. Il se prépare à empocher le tout rapidement mais j'appuie sur mon tas de dollars d'un index volontaire.

— Une dernière question. Elle est seule?

— Toujours, monsieur.

Je dégage mon argent et je tourne vers Micheline un sourire épanoui pendant que le larbin s'éloigne.

Miche n'a pas l'air d'apprécier du tout.

— Je suppose que tu vas me laisser tomber, maintenant?

Honnêtement, très honnêtement, j'en ai une furieuse envie. Je devrais mais je m'en voudrais pour le restant de mes jours de gâcher cette soirée.

— Non, je ne te laisse pas tomber.

Mon cellulaire à la main, je regarde l'écran bleu où une petite antenne m'indique que l'appareil cherche à se brancher au réseau.

— Je donne simplement un coup de fil à Gerbier pour qu'il fasse ce qu'il faut et, après, je t'emmène chez Bianca.

— Tiens, on va chez Bianca? Je te croyais partant pour sauter les étapes.

Elle n'est pas folle, cette fille. Elle sait très bien que je l'emmène à la disco de l'hôtel dans l'espoir de voir l'autre greluche ce qui, effectivement, n'est rien d'autre que la vérité. On ne se refait pas.

— Non, non, on va prendre une petite bouteille de champagne et après, on se permet des folies ! Je te jure Micheline que je suis en congé ce soir. Mais je ne peux me permettre de fermer les yeux sur une possibilité de poursuivre l'enquête, tu comprends ?

Elle comprend.

* * *

Gerbier n'est pas particulièrement heureux d'entendre ma voix de baryton. J'oserais même dire que ça l'agace sérieusement. Poli, je demande si je dérange.

— Tu me coupes ça dans le meilleur et tu demandes si tu déranges ? Très franchement, la réponse est oui !

Comme la seule libido qui m'intéresse pour le moment est la mienne, je réponds à Gerbier qu'il n'a qu'à se mettre un bandage herniaire pour calmer ses pulsions et qu'après, il pourra toujours enfiler un veston pour se rendre au Sofitel vérifier si la dame Patrikov est le même brin de fille qui lui a causé une augmentation du tour de tête. Ça ne l'enchante pas, mais pas du tout.

— Et où es-tu, toi ?

La question est plutôt embêtante et je ne

peux décemment dire à mon collaborateur que je me dirige chez Bianca en compagnie d'une charmante jeune femme pendant que je le tire du lit pour aller chercher des poux à quelqu'un. Je lui réponds donc que je suis sur une autre piste. Mais ça ne le satisfait pas.

— D'la marde ! Trouve-toi un autre esclave. Moi, je retourne au lit. J'ai le droit de refuser le temps supplémentaire !

Je l'attendais, celle-là. Mais j'ai un argument choc. Son année de suspension, Gerbier ne l'a pas faite parce que je l'ai utilisé presque tout de suite. Alors, de temps en temps, je me transforme facilement en maître-chanteur pour lui rappeler qu'il me doit quelques faveurs. Ce que je fais illico.

Je n'entends plus qu'une respiration dans mon écouteur. J'en profite pour rajouter qu'il s'agit d'un ordre, ce qui lui redonne automatiquement la parole. Il commence par m'attribuer un qualificatif qui désigne un groupe particulier d'individus qui, pour mener leurs agissements à bonnes fins, se doivent d'être actionnaires de Vaseline. Il poursuit en disant que si j'étais marié je serais probablement le roi des cocus et, pour terminer, il entreprend de faire redescendre sur terre tous les saints du paradis.

— Claude, je compte sur toi, l'interrompai-je avant de raccrocher.

Cette petite discussion m'a remis le sourire aux lèvres et c'est tout pimpant que je reprends le bras de Micheline pour la diriger vers la discothèque où on trouve facilement de la place, compte tenu qu'il est relativement tard et qu'on est en semaine. Ça m'arrange puisque ça me prendra moins de temps pour savoir si ma petite copine est dans la place.

Après un rapide coup d'œil, force m'est de constater qu'elle n'y est pas et, du coup, mon enthousiasme pour la discothèque décroît. Mais Micheline trépigne sur la banquette, ce qui me force à l'inviter à aller se dégourdir les jambes en attendant que nos consommations nous soient livrées.

On gesticule comme ça pendant une bonne dizaine de minutes et on revient vers notre table pour nous rafraîchir le gosier et continuer à nous échauffer les idées. On a à peine pris une gorgée qu'une musique au rythme d'escargot fait couler sur nous une sérieuse envie de se transformer en siamois. Ce que nous faisons.

Je prends Miche et je l'enserre dans mes

bras, question de vérifier si elle constitue un cataplasme assouvissant. Le résultat est positif et à la fin de ce slow, je reviens à ma table au pas d'oie.

Je lui susurre à nouveau des propositions polissonnes auxquelles elle me répond en m'appliquant une langue chaude dans l'oreille droite qu'elle entreprend d'explorer en profondeur. J'en ai des sensations terribles et je me dis que si ça continue le public va finir par croire que j'ai une jambe de bois tellement je serai obligé de boiter pour sortir d'ici décemment. Je me penche donc également sur l'oreille de ma voisine pour lui faire comprendre qu'une ronde de négociations intensives se doit d'être entreprise dans les plus brefs délais sinon il se pourrait qu'on ait à faire face à une grève, temporaire certes, mais néanmoins intempestive et comme je suis véhémentement en faveur de la bonne entente dans les relations de travail, je lui explique que nous avons atteint un point de tension explosif nuisible aux deux parties en cause.

Elle me répond qu'il y aurait peut-être lieu de détendre l'atmosphère et elle m'offre de la rencontrer en territoire neutre afin d'entamer des discussions pouvant mener à la solution des tensions qui perturbent nos relations.

Je m'empresse d'accepter et, avalant d'un vigoureux coup de langue le reste de mon verre, je me prépare à la suivre.

Nous sommes à peine devant l'ascenseur qui doit nous conduire au garage souterrain lorsque je vois apparaître dans le hall la silhouette de Gerbier. Il m'a aussi vu et il se dirige vers moi. Heureusement, la porte de l'ascenseur s'ouvre et on s'y engouffre pour descendre à une vitesse plus rapide que la chute du dollar canadien les trois étages qui nous séparent de ma bagnole. Je mets en route et on disparaît en direction de l'appartement de Miche. Je me doute bien que de beaux messages doivent s'empiler dans la boîte vocale de mon cellulaire.

CHAPITRE 5

Elle décrète qu'elle a une petite faim et, complètement à poil, elle quitte la chambre en direction de la cuisine. J'en profite pour allumer une cigarette sur laquelle je tire à grands coups de poumons avariés. La fumée fait légèrement écran devant la lampe de chevet et donne un drôle d'aspect à nos vêtements qui jonchent le sol.

La chambre est coquette, propre et bien meublée. Un ordre très féminin y règne et je me dis que j'y séjournerais bien quelque temps. Il y a une odeur très caractéristique de femme, une espèce de mélange de savon et de parfum qui me rappelle l'odeur qu'avaient mes chandails quand je vivais chez mes parents. Ma mère mettait toujours une barre de savon odorante dans nos tiroirs et nos vêtements étaient toujours imbibés de cette effluve.

Miche revient en tenant un sandwich composé d'une ficelle, de fromage, de jambon et de laitue.

— Tu en veux ? dit-elle en me tendant le sandwich.

Machinalement, je réponds oui et elle me tend un bout de pain dans lequel je mords. Toujours superbement nue, elle se dirige vers le système de son et le met en marche. Une musique au ton atténué nous parvient et elle revient s'asseoir en petit bonhomme, auprès de moi. Je caresse la peau de ses cuisses. C'est doux et ça me fout l'envie de recommencer. Je le lui signale d'une main polissonne, ce qui fait qu'elle laisse le sandwich de côté, que j'écrase mon clou de cercueil et qu'on se remet à se fréquenter intimement.

Quand on termine ça, je me sens engourdi par une puissante volonté de sommeil. Miche prend son sandwich et le finit tranquillement en rigolant.

— Tu t'endors, surhomme ?

Je hoche la tête en guise de réponse.

Elle hausse les épaules.

— La prochaine fois, je me trouverai un homme, pas un petit garçon.

Je me prépare à protester qu'on n'a pas tous la chance de gagner sa vie à faire des petits dessins sur la place publique et que ce n'est pas non plus tout le monde qui se fait masser l'arrière du crâne à coups de crosse de revolver quand une voix émanant de mon paget me dit de rappeler au bureau d'urgence.

— Tu avais ce gadget sur toi ? demande la belle enfant, en pointant un doigt agressif en direction de l'appareil.

— Oui, on l'a toujours. J'ai laissé le téléphone dans la voiture mais ça, je ne peux pas m'en séparer. Quand ça sonne, c'est parce que c'est sérieux.

Je m'empare du téléphone et je compose mécaniquement le numéro du bureau. Gerbier répond.

— Max ? interroge-t-il.

Suite à ma réponse affirmative, il me dit sur un ton de conspirateur de me ramener au bureau au plus sacrant.

— Je t'ai laissé un peu de temps pour bien finir ta soirée. Beau morceau, félicitations. Mais maintenant, il faut que tu viennes. J'ai des problèmes avec le boss. Même s'il est tard, il vient d'arriver au bureau et il n'arrête pas de m'engueuler. Et puis, il te cherche. Il n'est pas particulièrement de bonne humeur.

J'enfile mes vêtements et me dirige vers la

porte. Au moment où je me prépare à demander à Micheline si je peux revenir plus tard, elle me pousse hors de son appartement comme un malpropre et claque la porte. Je l'entends qui tire les verrous. Plutôt possessive, la petite.

Au poulailler, je me heurte de nouveau au gardien qui exige de voir ma carte. Je lui demande de composer le numéro du patron pour savoir si l'individu qui va répondre va accepter de me laisser entrer. J'en ai plein le cul de me faire engueuler par tout le monde !

Ça ne manque pas ; le boss hurle au gardien de me laisser passer en priorité. Sa réaction m'en dit long sur son état d'esprit mais je préfère penser à faire remplacer ma carte.

Je toque légèrement à la porte et j'entends qu'on m'ordonne d'entrer. Dans le bureau, un peu plus petit que celui de Bush, il y a Bouboule qui, à cause de ses yeux au beurre noir, ne semble pas trop fatigué. Auprès de lui, sur le fauteuil, il y a Gerbier qui affiche une mine pitoyable ainsi que Germain, notre spécialiste de la recherche, dont les lèvres ne constituent plus qu'une ligne. Il est blanc comme un drap et il ressemble à quelqu'un qui vient de se rendre compte que le médecin lui a enlevé les bijoux de famille à la place de l'appendicite.

Derrière son bureau au design suédois, tout en acier et en verre, le boss, les deux bras déposés sur les accoudoirs de son fauteuil, ne semble pas se rendre compte qu'il y a du monde autour de lui. La cinquantaine bien utilisée, il a commencé à faire du ventre depuis qu'il n'est plus des services actifs. Les cheveux blancs, une petite moustache grise, une attitude britannique, il est le type parfait pour vous confondre. Tous ses traits et ses attitudes laissent croire que c'est un flegmatique. Or, c'est un sanguin dont la promotion a été retardée à plusieurs reprises à cause de la façon dont il menait ses hommes et aussi parce qu'il a toujours été incapable de s'empêcher de dire ce qu'il pense.

L'atmosphère de la pièce indique que nous sommes dans l'œil de la tempête. Mes petits camarades ont essuyé la première giclée et le boss reprend des forces avant de se déchaîner de nouveau.

Je m'affale sur une chaise et j'attends. Ça vient.

— Saint-Ours, je veux voir votre carte…

Je jette un coup d'œil à Gerbier qui roule immédiatement les yeux.

— Désolé, je ne l'ai pas, monsieur.

Le boss lève un œil, un seul et lance un regard en ma direction.

— Et qu'en avez-vous fait… Monsieur Saint-Ours ?

Le délai qu'il a laissé courir avant de m'appeler « monsieur Saint-Ours » m'a causé un frisson désagréable le long de l'épine dorsale.

— Je me la suis fait voler, monsieur.

Plus rien… Rien du tout… À croire qu'il n'a pas entendu. Une trentaine de secondes se passent ainsi. Bouboule me lance un regard lourd d'angoisse. Gerbier est stratégiquement assis de biais au boss et il baisse la tête. Germain ne dit pas un mot non plus et, personnellement, je donnerais mon salaire de la semaine pour savoir ce qui se passe.

La figure du boss est d'une belle couleur cuivrée. Pas possible, s'il continue à se contenir, c'est l'infarctus. Il déchire le silence en hachant ses mots un à un.

— Saint-Ours, où étiez-vous ce soir ?

Je lance un coup d'œil à la sauvette à Gerbier. Il ne bouge pas. J'ose mentir.

— Je m'occupais de l'affaire des trois meurtres de ce midi, monsieur.

Et c'est parti. Les murs vibrent, la surface vitrée du bureau manque de s'émietter, les rideaux s'affolent et mon indicateur personnel de décibels m'indique qu'on atteint le seuil de l'intolérable mais, au moins, j'apprends.

— Pendant que vous étiez en train de faire le joli cœur avec votre petite amie – là, je regarde franchement mes compagnons pour connaître le traître et je crois deviner que c'est le gros-deux individus munis de vos cartes sont venus ici et sont entrés sans aucune difficulté puisque vous n'avez pas fait annuler vos codes magnétiques. Ils se sont rendus au bureau de Germain et sont repartis avec tous les biens personnels des trois assassinés. Le boutte d'la marde ! C'est rendu qu'on prend nos bureaux pour le Couche-Tard du coin ! On se croirait dans un Dunkin braqué par les Hilton ! Non, pas vrai ! C'est encore plus ridicule !

Je suis soufflé. Je n'ose pas dire un mot. Le patron a à peine avalé un peu d'air qu'il se fait de nouveau aller la menteuse.

— Et, Saint-Ours, j'ai aussi pris connaissance de votre petite virée, cet après-midi, au Hyatt. Du beau travail ! De l'excellent travail ! Le prestige qui va nous retomber dessus !

Quand je pense qu'une femme, une femme seule, a réussi à étendre trois de mes gars, je n'en reviens pas !

Bouboule a une mimique qui se veut contestataire. Il avance les lèvres en une moue significative qui le fait ressembler davantage à une pizza pas fraîche.

— Mais le pire, poursuit le grand manitou, c'est que vous ne savez même pas dans quelle merde vous avez mis les pieds ! Et laissez-moi vous dire que c'est plutôt imposant !

Il regarde le plafond, comme s'il cherchait à y lire la suite des choses.

— Le dénommé Racine, reprend-il, celui qui revenait de Moscou avec le Français, était en possession de la liste de tous les agents et sympathisants américains militant dans les syndicats des anciens pays communistes et Racine entendait rançonner ses anciens patrons. Au total, il y a huit cents individus concernés et si cette liste tombe entre les mains des gens de l'autre bord, ça signifie la destruction complète de réseaux que les Américains ont pris des années à structurer. J'ai eu une très sérieuse discussion ce soir avec mon homologue de l'ambassade américaine et ce dernier tient à avoir les mains libres pour travailler. Comme nous sommes en bonnes relations avec eux, j'avais promis de lui remettre tout ce que nous avions et lui prêter assistance.

Cette fois, c'est le dessus de son bureau qu'il examine, les deux mains posées bien à plat sur la surface de verre. Il scrute le meuble d'un œil lent, comme s'il le voyait pour la première fois.

— Et voilà, hoquète-t-il, que nous nous faisons piquer chez nous, que mes agents se font couler dès le début de l'enquête. Mais ils vont mourir de rire, les Américains, avec une histoire à dormir debout comme celle-là.

La voix du patron s'est adoucie. Ce n'est plus de la rage, c'est de la tristesse, de la déception. Je crois que je tiens le bon bout pour sortir du guêpier… parce que si je le laisse aller, c'est certain qu'il nous exige nos démissions.

— Justement, patron, je crois que vous devriez leur dire toute la vérité.

Pendant cinq secondes, j'ai l'impression que son pace-maker vient de s'arrêter.

— Quoi? interroge-t-il d'une surprenante voix de soprano.

L'attaque, c'est la meilleure défense disait l'autre et il avait bien raison. Faut toujours utiliser l'élément de surprise, même si parfois c'est gros comme une locomotive.

— Heu… Oui. Vous leur dites exactement ce qui s'est passé. Ils refuseront probablement d'y croire. Vous l'avez dit vous-même, c'est une histoire à dormir debout. Donc, ils chercheront une excuse ailleurs, ils se diront que vous racontez ça pour ne pas collaborer, ils se diront que vous ne voulez pas avoir de leurs cowboys ici, ce qui est vrai de toute façon. Alors, ils vont essayer de faire cavalier seul, ce qui ne nous dérange pas beaucoup puisqu'on détient tous les atouts et qu'on est certains de les doubler sur toute la ligne.

Ce que je viens de dire doit lui sembler gros parce qu'il a les yeux ronds comme des huards. Je m'explique. D'urgence.

— Bon. OK, on s'est fait piquer les effets personnels des trois macchabées. D'accord, on s'est fait ramasser par une petite femme… Mais Germain possède la liste et la description complète des effets personnels.

Un doute reptilien m'assaille. Germain les a-t-il encore ? D'un coup de paupière, il me le confirme. Je poursuis.

— On a également le portrait de cette petite

blonde qui occupe on ne sait quel rôle dans cette histoire. On peut établir l'identité du tueur et on peut faire des recherches sur celle qu'il a prise à Montréal. On sait maintenant pourquoi tellement de monde s'intéresse à cette foutu mallette et on sait qu'ils sont prêts à prendre des risques énormes pour mettre la main sur ces documents. Et notre enquête a peut-être progressé ce soir quand j'ai demandé à Claude de faire une virée au Sofitel pour vérifier l'identité de cette dame Patrikov. Au fait, Claude, comment ça s'est passé ? Claude ?

Il hausse les épaules et se penche pour prendre un sac.

— Je me suis rendu à la réception et j'ai demandé le numéro de la madame. On m'a dit qu'elle venait à peine de partir. J'ai quand même demandé à voir sa chambre et je n'y ai rien trouvé, si ce n'est des mégots de cigarettes de deux marques différentes, ce qui m'a fait croire qu'elle n'était pas seule ou qu'elle a reçu de la visite. Dans les poubelles, il n'y avait rien, ce qui m'a intrigué. Quand tu pars en catastrophe, tu t'inquiètes rarement de ce qu'il y a dans les poubelles. Comme il n'y avait pas de femmes de chambre à cette heure, je me suis rendu à chaque extrémité de l'étage pour vérifier si on n'avait rien laissé dans les escaliers de secours. J'ai rien trouvé. C'est seulement en revenant à la réception et en demandant ce que la dame avait comme bagages que je me suis décidé à explorer les poubelles du garage. Ils m'ont dit qu'elle traînait un sac, en plus de ses valises. Je me suis payé les poubelles des trois garages. Finalement, j'ai trouvé ça.

Il tient en main ce qui fut un attaché-case. Le porte-documents a été férocement déchiqueté et aucune pièce n'est restée intacte. Tous les endroits où il était possible de cacher quelque chose ont été mis à jour. S'ils n'ont rien trouvé, c'est qu'il n'y avait rien à trouver. Gerbier sort aussi du sac deux petits livres couverts de caractères incompréhensibles.

— Du russe, précise Germain qui sort de sa retraite diplomatique.

Il y a aussi deux ou trois documents photocopiés, en anglais cette fois. Germain s'en empare, les examine et les tend à Gerbier.

— Des notes explicatives sur un vieil ordinateur. Un P-3, d'après moi.

La présence de ces pièces m'assure que c'est le porte-documents tant recherché. Oubliant le patron, je demande à Germain si l'attaché a été « emprunté » en même temps que le reste. Négatif. Les homicides n'ont jamais eu cette mallette en leur possession. Je réfléchis quelques secondes jusqu'à ce qu'une toux familière me ramène à la réalité.

— S'ils sont venus chercher les vêtements, dis-je à voix haute, c'est que ce qu'ils cherchaient n'était pas dans le porte-documents. Donc, ils ne quitteront pas Montréal tant qu'ils n'auront pas ces papiers… Il est possible que les documents soient dans les vêtements mais j'ai peine à le croire. Germain, tu avais examiné les vêtements de Racine ?

Il branle le chef.

— Comme ça, pas plus, tu n'avais rien demandé de spécial à ce sujet. Mais je n'ai rien remarqué. Par contre, on a reçu les bandes vidéo des caméras de rues. On y voit bien notre homme.

Je me retourne et je regarde le grand chef. Il est songeur.

— Boss, on peut mettre des points de surveillance sur la frontière. Nous avons leurs portraits. S'ils tentent de partir, on peut les pincer.

Il est toujours dans ses rêves.

— Une allure, ça se modifie, vous le savez bien, laisse-t-il tomber.

— D'accord mais ce sera déjà ça de fait. Comme vous le constatez, on n'a quand même pas perdu notre temps. C'est pourquoi je vous demande de nous laisser l'enquête entre les mains. Pas besoin des Américains, malgré nos petits ennuis.

Un long moment passe dans le grésillement des néons du bureau. C'est fou comme ces trucs-là font du tapage quand tu n'as que ça à écouter.

— Mais, articule le boss, comment allez-vous reprendre l'enquête ?

Ça, je ne le sais pas. La méthode classique, revoir les témoins, faire surveiller les frontières, le recours aux ordis pour l'identification, les empreintes, etc. La routine. Et puis, j'y pense.

— Claude, tu nous as bien dit que tu as trouvé ce sac dans les poubelles du garage ?

— Oui…

— Donc, elle est en voiture ! Et si elle doit rester à Montréal, il faut qu'elle se trouve une autre planque.

Je me tourne vers le patron. Il a eu un imperceptible haussement de sourcils ce qui, chez lui, marque un certain intérêt.

— On peut mettre une équipe sur les hôtels de la région. Elle a l'air d'avoir un faible pour les hôtels de luxe. Déjà qu'elle louait des chambres dans deux hôtels différents. Pourquoi pas un troisième ? Les gars n'auront qu'à se promener avec les deux portraits-robot et demander si on les a vus. De notre côté, ce matin, nous retrouverons le numéro de la voiture dans laquelle elle se balade. Je suis convaincu qu'il s'agit d'une voiture louée et elle n'est pas allée à Brossard pour cela. Même si c'est le cas, on a déjà une couple de ses identités et il y a, selon moi, pas mal de chances qu'elle ait loué la bagnole sous un de ces noms.

— À moins, objecte le patron, qu'ils n'aient découvert ce qu'ils cherchaient dans les vêtements. Si c'est le cas, ils sont probablement loin, maintenant.

L'argument est valable mais je ne crois pas que Racine se soit amusé à cacher des document, des micro-films ou une puce électronique dans ses vêtements. Un vieux de la vieille comme lui, ça prend des précautions et s'il prenait le risque de vendre sa liste aux Américains, c'est parce qu'il savait détenir une assurance-vie à toute épreuve. S'il avait vendu aux Russes, il n'aurait pas fait de vieux os une fois qu'ils auraient été en possession de cette liste. Par ailleurs, s'ils ont trouvé ce qu'ils cherchaient et qu'ils sont partis comme le dit le patron, les Américains ne pourront rien faire de plus que nous. Ce que je lui dis.

Il acquiesce.

— Bon, très bien, poursuivez l'enquête… Mais je veux des résultats et rapidement, m'entendez-vous ?

Le ton monte de nouveau mais cette fois, c'est la voix normale de notre tortionnaire, cette voix cassante qui prononce des ordres sèchement et qui croit qu'on peut tout régler en vingt-quatre heures.

— Et pour les moyens ? fais-je.

— Carte blanche, répond-il en se tenant le front entre le pouce et l'index.

Ça, je m'en doutais mais ce n'est pas la précision que je voulais obtenir. Je toussote un peu, question d'attirer son attention. Ça le tire de sa rêverie.

— Ben quoi ? fait-il sèchement. J'ai dit carte blanche, c'est pas assez ?

— Heu… C'est à propos des Américains… Vous allez tenter de leur bloquer le chemin ?

Tout ce qu'on vous demande, c'est de ne pas collaborer avec eux.

— Autrement dit, vous voulez que je leur raconte qu'on a cambriolé mes services et que mes hommes se comportent en clowns ? Vous voulez que j'aille faire rire de moi ?

Je fais un signe tout discret de la tête. Je n'ose pas répondre de façon plus volontaire. Même si la situation n'est pas drôle, je ne peux m'empêcher d'avoir un sourire aux lèvres. Je me rends compte que je ne suis pas le seul. Gerbier est prêt à se fendre en quatre, Germain se mord les lèvres pour ne pas hurler de rire et la tumeur violacée du gros s'est élargie, signe que lui aussi rigole à la pensée que le boss va aller raconter nos déboires aux Américains.

Il réalise la situation. Nouvelle explosion.

— Ha non ! Vous n'allez quand même pas vous moquer de moi, en plus !

Puis, baissant le ton, il ajoute : « OK, je leur raconterai tout ça… »

On se lève comme un seul homme et on dandine une seconde ou deux pour voir si Manitou n'aurait rien d'autre à nous dire. Comme il semble être devenu muet, on quitte son bureau sur la pointe des pieds.

CHAPITRE 6

Dans le couloir, c'est Germain qui m'accroche.

— Max, pendant qu'on est à discuter des trois macchabées, tu ferais bien de me remettre leurs papiers. Je classerai ça avec le restant, dit-il en montrant le sac que porte Gerbier.

Puis, il rigole.

— Tu sais que les types qui sont venus chercher le matériel ont du front tout le tour de la tête ! Ils ont pris le temps de s'informer si tout y était avant de partir. Faut le faire, non ?

— Et qu'est-ce que ton gars leur a dit, je demande machinalement.

— La vérité, bien sûr. Il leur a répondu qu'il manquait l'attaché-case et que tu avais les papiers.

C'est vrai que c'est plus prudent de les lui remettre même si maintenant je commence moi aussi à douter de l'efficacité de nos services de sécurité. Je plonge la main dans ma poche et je les lui donne.

Bouboule me malaxe ensuite les épaules à grands coups de battoir. C'est sa façon à lui de dire « salut ». Germain, qui sort de son bureau, me pose la main sur l'épaule et affirme qu'il s'en va rejoindre sa 443e menace de divorce. Je m'achemine seul vers la sortie principale en compagnie de Gerbier.

— Max, tu peux me laisser chez moi ? Ma voiture fonctionne mal et j'ai dû la laisser au Sofitel. Problème de pompe à essence, je crois bien…

J'acquiesce. Après tout, je lui dois bien ça, à Gerbier. Le ciel commence à rosir et je me dis que définitivement il n'y a que nous pour avoir une vie aussi farfelue pour un salaire aussi minable. Longtin, finalement, a peut-être raison. On passe notre vie à recevoir des coups et des bosses pour un salaire de petit bourgeois. Tout ça dure jusqu'au jour où un con plus habile ou plus chanceux vous troue la peau en plaçant son pruneau à un endroit qui ne pardonne pas. S'il a la chance de ne pas se faire prendre, il racontera à tous ses petits camarades comment il a trucidé un flic et deviendra une petite gloire du quartier. Encore que cela, ce n'est pas très grave. Il y a aussi les braves types, des gars comme des filles, qui travaillent autour de nous et qui voient leurs familles disparaître sous prétexte que le boulot est trop envahissant et que madame, ou monsieur, c'est selon, a besoin de mener une vie normale. C'est-à-dire que le conjoint, ou la conjointe, c'est toujours selon, a besoin qu'on assure la continuité traditionnelle de la vie, que le conjoint entre à dix-sept heures, avec ses soucis ou ses joies, qu'il parle au plus vieux de ses mauvaises notes de maths, qu'il berce le dernier né en acceptant placidement qu'il lui bave dessus sous prétexte qu'il faut payer la taxe d'amusement et que l'autre n'a pas à être le seul à écoper.

Il y a aussi l'argent, le budget à gérer, ce qui est aussi délicat ; lorsque le fric entre, on se gâte rapidement et on oublie que si le pognon arrive à cette cadence, c'est parce qu'il y en a un qui trime comme un diable. Alors, fatalement, vient un jour où ce pognon est acquis, là, entre les deux oreilles, où tout le monde se dit que ce sera toujours comme ça, en perdant de vue que si le fric coule de la sorte, c'est parce qu'il y a beaucoup, beaucoup d'heures sup. Et on arrive à l'inévitable discours : il n'y a pas que le travail qui compte. Jusqu'au jour où l'absence d'argent se fait cruellement sentir et que la tension apparaît dans le couple. Le cercle vicieux.

Là-dedans, il y a aussi le type. Coincé entre sa banque, son supérieur, le conjoint, dépassé par tout le monde, il fait front, volontairement, durement, jusqu'au jour où il n'en peut plus, jusqu'à ce qu'il tente de trouver une porte de sortie. Il se dit qu'il n'est pas plus con qu'un autre et que lui aussi doit avoir le droit de profiter un peu de ce bordel de bail de soixante ans qu'il n'a jamais demandé à personne. Alors, il prend des tangentes. Pour certains, c'est la bouse, pour d'autres, la dope, pour d'autres, les femmes ou les hommes. Mais à plus ou moins long terme, il finit par tout foutre en l'air et, pour se consoler, se met à rebâtir tout ce qui avait fait son enfer. Il est beau, « l'animal pensant ». Toujours en train de se foutre dans la merde. Quand il n'y en a pas assez, il la fabrique. Ce serait pourtant si simple de vivre normalement, d'avoir la paix. Mais il y a l'ambition, l'argent, la puissance…

Avec tout ça, je me rappelle que Micheline m'a claqué la porte au nez et c'est bien la dernière chose que je voulais. Ça me fout les bleus. Il y a des jours où je me dis que j'envoie tout ça promener et que je vais élever des poules, des vraies, à la campagne. Heureusement, après réflexion, je me dis que je suis incapable de le faire, que je ne vivrais pas trois jours la vie d'un honnête éleveur. Pas parce qu'elle n'est pas bien mais c'est pas dans ma nature. J'ai la vague notion que j'ai besoin d'absence de sommeil, de maux d'estomac, d'euphories artificielles, d'engueulades et de coups sur la gueule pour me sentir vivant, pour m'assurer que je ne rêve pas.

Gerbier songe peut-être à la même chose parce que depuis qu'on a quitté le bureau, il n'a pas dit un mot. Pourtant, il ne dort pas. Il me voit emprunter le boulevard René-Lévesque et filer en direction ouest.

— Max, si on se payait un smoked-meat avant de rentrer ?

L'idée n'est pas mauvaise. Je suis fourbu mais j'avalerais bien un petit quelque chose.

— Si on allait plutôt au Montreal Pool Room pour une couple de « stimés » ?

Ça le rend content cette perspective. Il accepte l'offre des deux hot-dogs et des grosses patates carrées de la Main. Montreal Pool Room, c'est une légende. À ma connaissance, c'est le seul snack-bar en Amérique qui a eu droit aux éloges du New York Times pour la qualité de ses hot-dogs. Toutes les putes et les travestis de la Main y finissent la nuit, question de se sustenter avant de prendre le lit pour y faire autre chose que d'écarter les jambes ou les fesses. Fut une époque où nous y étions très bien connus. Moi, en tant que narc, j'y avais de très mauvais contacts et on me fuyait aussitôt que j'apparaissais. Claude, on lui parlait mais personne n'osait le menacer, le molester ou simplement tenter de lui faire fermer les yeux. Il a assaisonné beaucoup trop de gars du quartier pour qu'on puisse avoir des doutes sur sa probité.

Arrivé à l'angle de la rue Saint-Laurent, je me penche sur mon volant pour voir s'il reste de la place pour stationner devant le snack-bar. Je sens soudainement les deux mains de Gerbier qui s'accrochent à mon collet et me tirent vers le fond de la voiture.

Du même coup, il crie comme un malade : « écrase ! écrase ! ». Je ne réalise pas encore pourquoi que j'ai pesé sur l'accélérateur et que mon Éclipse fait un bond en avant, à l'aveuglette.

J'entends alors un crépitement et les vitres de ma voiture se mettent à faire des petits. Derrière nous la pétarade se poursuit et, mieux, elle augmente d'intensité, ce qui nous indique que notre mitrailleur se rapproche. Claude a ses deux canons dans les mains.

-Arrête, maudit, arrête !

J'applique un coup de talon vigoureux sur le frein et je coupe le contact pendant qu'il ouvre la porte et se glisse à l'extérieur, les deux morceaux en pogne. J'entends presque tout de suite le rythme lourd et saccadé d'une arme puissante et d'une autre, légère. Je sors à mon tour. Devant nous, à cinquante mètres, une voiture accélère. Claude s'ajuste et tire, tire. Je prends mon arme à deux mains, la place au-dessus de ma tête et en redescendant lentement les bras, je vise le chauffeur. Auprès de moi, les tics-tics des armes vides de Gerbier se répètent. Je reçois un choc cuisant mais tolérable dans les bras et je contiens le recul de mon arme.

Là-bas, la bagnole zigzague un peu mais elle poursuit sa route.

— Beau coup, me dit Gerbier, déjà assis dans la voiture.

Sans dire un mot, je reprends ma place de

chauffeur sur les éclats de verre, je remets le contact et me lance à la poursuite de mes tirailleurs. Gerbier recharge ses armes.

Devant, la voiture vient d'aborder Sainte-Catherine et tourne pour emprunter une petite rue qui conduit directement à l'entrée de l'autoroute qui mène à Verdun, au Pont Champlain ou à la Place Bonaventure. Il faudra choisir. Derrière nous, grâce à mes vitres fracassées, j'entends nos braves flics qui commencent à entrer en action.

Je brûle les feux rouges les deux mains sur le klaxon. Pas très risqué à cette heure-ci mais mieux vaut prévenir. J'emprunte l'autoroute et fonce dans le tunnel en ralentissant pour tenter de voir mes fuyards. Pas la moindre trace. Je me dis qu'à la vitesse où ils vont ils n'ont pu faire autrement que de filer en ligne droite. Je suis sûr d'avoir touché le chauffeur. Il ne fera donc pas d'acrobaties. Gerbier claque la fermeture de son barillet. Une arme dans chaque main, il attend.

Je débouche rue Notre-Dame et je ne remarque toujours rien. Pas de voiture en circulation, personne dans les rues. C'est raté. Claude a aussi compris et il rengaine ses canons avec mauvaise humeur.

— Pas possible, ça, dit-il. S'entraîner comme je m'entraîne et rater mon coup ! C'est trop bête ! Quand je pense que tu ne touches jamais à ça et que tu l'as atteint... Ça me rend malade ! Ça doit être l'émotion... et la fatigue...

Ses réflexions me font sourire. Ça me fait penser aux bons golfeurs quand ils ont une fiche pire que celle d'un débutant. Ils ont toujours des excuses.

— Bon... Pour les hot-dogs, qu'est-ce qu'on fait ?

Derrière nous, les sirènes hurlent de plus en plus fort et les gyrophares bleus et rouges commencent à apparaître nettement dans mon rétroviseur.

— H... On n'a plus de carte ! On est bons pour coucher à la cabane avec nos anciens clients si les soldats nous rattrapent !

Avec une voiture démolie comme la mienne l'est actuellement, on est sûrs de se faire arrêter. J'embraye et je fonce comme un fou. Maintenant, l'alerte est donnée. La seule chance qu'il nous reste, c'est d'aller se mettre en panne dans un endroit désert et abandonner la bagnole. Les flics la trouveront bien d'ici peu de temps mais au moins je serai chez moi.

Mon plus gros problème est de rétablir une certaine distance entre les voitures de patrouille et mon bolide. C'est con d'équiper des voitures comme la police le fait : il n'y a personne qui peut s'en sortir. Elles sont hors-calibre et les voitures sport peuvent à peine compétitionner. En ville, en tout cas. La seule et unique raison pour laquelle on peut encore s'en tirer, c'est à cause de mes superbes habiletés de chauffeur. À condition que le type qui me suit ne soit pas aussi farfelu que moi.

Le compteur indique cent quarante ! En pleine ville ! De la folie furieuse. Claude a bouclé sa ceinture, ce qui trahit son état d'esprit. Il a la trouille. Pas moi. Pas le temps. J'arrive devant le Home Depot de Saint-Henri. Cent mètres, à gauche, il y a un quartier industriel. Il faut que je m'organise pour que mes poursuivants me perdent de vue quelques secondes. Je compresse en quatrième et je fais faire un bond en avant à la voiture. J'applique les freins et je braque à gauche avant d'accélérer de nouveau. J'ai dix secondes pour disparaître. Immédiatement sous le viaduc, à droite, il y a une vieille usine transformée en lofts. Je fais déraper la voiture dans le parking et je coupe le moteur et les phares sans oublier de retirer mon pied du frein. Avec un peu de chance, les bœufs vont croire que j'ai poursuivi ma route. Enfin, j'espère !

Des autos-patrouilles passent derrière nous sur la rue Saint-Rémi et, comme je le souhaitais, poursuivent en ligne droite. Nous, on se pousse à grands coups de jarrets. Rien n'est sûr dans le quartier pour nous. Les flics, ils sont peut-être lourds mais ils sont organisés ; ce qui signifie qu'il y en a toujours à la traîne pour éviter des coups fourrés.

Chanceux, on ne voit personne. On en est quittes pour aller prendre le métro qui vient à peine d'ouvrir. Foutus, les hot-dogs ! Quant à la bagnole, je ne paie pas des assurances pour rien.

CHAPITRE 7

Au saut du lit, je repense à l'attentat de cette nuit. Je me dis qu'on doit être capable de retrouver une bagnole trouée et dont le siège du conducteur est souillé de sang. D'ailleurs, ça doit être déjà fait. C'est évident, je commence à devenir gênant pour certaines personnes et je me doute que ma beauté blonde est pour quelque chose dans la distribution de projectiles à laquelle j'ai eu droit. Le fait que je l'aie involontairement retrouvée au Sofitel l'a probablement inquiétée et elle a dû se dire que la vie ne serait plus tolérable si elle devait nous avoir accrochés à ses jupes constamment. Alors, elle a tenté de me bousiller et, en même temps, elle aurait réussi à purger l'humanité de Gerbier.

J'ouvre les robinets en grand et je me frictionne à l'Ivory. C'est con mais c'est le seul savon que j'aime. Quand je sors de la douche, je me sens un homme neuf.

Pendant que je m'habille, j'écoute mes messages. Rien de particulier. Même pas un message du boss.

Je me dis que j'aurais dû parler au patron du Tettrazini un peu plus longtemps, hier. J'ai donc l'intention de me rattraper.

En sortant de chez moi, j'arraisonne un taxi et je m'allume une cigarette, question de bien nourrir mon emphysème. Comme le chauffeur m'engueule parce que je l'enfume, j'ouvre la fenêtre un petit peu pour évacuer ma boucane. Toujours pas d'accord, il ouvre la sienne en grand et ça fait un méchant courant d'air. Enfin, c'est son affaire. Il a le choix entre le monoxyde de carbone et la fumée de cigarette. Lui, c'est un tenant de la pollution automobile. C'est son droit.

On fait un bout de chemin comme ça et, finalement, je change d'idée et lui dit de m'emmener au bureau. Je veux voir les derniers rapports, dire à Longtin de se pointer pour préciser les portraits-robots à tirer des bandes vidéo de la rue, s'il y a lieu car Germain m'a dit que la frimousse du tueur n'était pas très précise sur les bandes. Je m'attends également à ce qu'un flic de la circulation ou même du crime organisé vienne me voir pour me parler de ma bagnole. Enfin, je veux jeter un coup d'œil sur les dossiers des homicides que je n'ai pas encore eu le temps de consulter.

Le taxi s'engage dans la petite rue Sainte-Élizabeth, juste devant l'hôpital Saint-Charles-Borromée et me dépose devant le bureau. Je perds un gros deux minutes à attendre que le chauffeur me fasse un reçu et je quitte sa boîte.

J'ai à peine le temps de me rendre au milieu de la rue que je vois une bagnole qui me fonce dessus à une vitesse folle. Pendant un dixième de seconde, je ne sais comment réagir puis, ayant pris conscience du danger, je me jette sur le capot d'une automobile stationnée. Comme cette rue ne permet pas à deux voitures d'y circuler de front, ça me laisse une chance. Je vois une Chrysler Seebring frôler mes souliers et j'entends le crissement des freins. En me retournant, je constate que le chauffeur fait marche arrière pendant qu'un deuxième type aux cheveux roux braque sur moi un sérieux distributeur de tickets pour le paradis.

J'ai à peine le temps de rouler du capot que ça commence déjà à pleuvoir. Je me terre derrière la voiture pour laisser passer un orage drôlement silencieux. Tout ce que j'entends, ce sont des sifflements. Le gars a mis un muffler à son machin.

À quatre pattes, au mépris de mon costume qui, pourtant ne méritait pas ça, je me rends à l'arrière de la voiture que je contourne pour apercevoir la Chrysler qui repart en marche avant.

Je me dresse, le revolver aux poings et je vide mon chargeur dans sa direction. Je fais des trous dans le coffre, je multiplie la lunette arrière par mille mais je n'ai pas l'impression d'avoir fait du travail sérieux. Cette fois, il aurait vraiment fallu que Claude s'en mêle.

La musique que je viens de faire ameute la populace. Aux fenêtres, des visages inquiets se manifestent pendant que je vois mes petits copains se ramener dans la rue, armes à la main. La voiture a disparu et ça ne sert à rien de continuer à faire du show-business.

On va retrouver la Chrysler dans une quinzaine de minutes, maxi, vide... Comme les flics ont probablement déjà repéré ma bagnole et celle des gens qui ont voulu me refroidir la nuit dernière.

Pour finir l'histoire, le propriétaire du véhicule sur lequel je me suis jeté rapplique et il profite de l'incident pour dire que c'est une honte. Selon lui, je n'ai pas cabossé que le capot de sa voiture, j'ai fait des dommages tout le tour, incluant les ailes de la bagnole qui sont subitement pourries de rouille par ma faute. Il exige une indemnité colossale, équivalente au prix d'un modèle neuf. Je lui dis d'aller s'installer le derrière sur ce qui lui déplairait le plus et lui explique que s'il veut un remboursement, il n'a qu'à venir me voir avec un rapport du service des accidents. Je l'assure que s'il croit vivre au siècle des communications rapides, il va avoir une sérieuse surprise en m'envoyant sa note. Sur ce, je le quitte pour aller rejoindre Bouboule qui se tient toujours à la porte du bureau, un Manhurin de haute précision bloqué entre ses tripes débordantes et sa ceinture.

— Beau rodéo, qu'il me dit.

— C'est la deuxième fois en un peu moins de huit heures qu'on essaie de m'allumer. Ça commence à me rendre nerveux, mon gros… À part ça, quelles nouvelles ?

L'obèse donne un coup de tête vers l'arrière.

— Il y a un gars des homicides qui t'attend. Paraît qu'on a retrouvé ta bagnole transformée en passoire dans le parking d'une ancienne usine. Comme ils en ont retrouvé une autre à peu près dans le même état à l'hôtel Maritime, ils veulent savoir si tu y es pour quelque chose.

Ça me fait sourire. Tu parles si j'y suis pour quelque chose ! Mais c'est rassurant. Ils ont trouvé les bagnoles et ça va nous mettre quelque chose sous la dent. J'arpente les couloirs, suivi du gros, jusqu'à mon bureau. À cause de la petite séance de cinéma gratuite que j'ai offerte dans la rue, le garde de sécurité ne m'a pas fait de problème à propos de ma carte. Il a deviné que c'était préférable pour sa santé.

Dans mon bureau, c'est Langelier, des homicides, qui m'attend. Un bon flic mais très fonctionnaire. Il ne bouge pas à moins d'être couvert. Il y a des fois où je le comprends bien. Les truands se paient les meilleurs avocats, invoquent la Constitution si la chose est nécessaire, s'accordent tous les recours possibles, de sorte qu'il faut presque cinq ans pour mettre un type à l'ombre.

— Salut Max… Tu nages toujours en eau trouble d'après ce que je viens d'entendre…

— Toujours, mon cher… Paul, écoute-moi… C'est bien ma bagnole que tes gars ont retrouvée pleine de trous. Mais ça, ce n'est pas important. Ce que je veux, c'est tout ce qui concerne l'autre voiture que vous avez dénichée et je veux que tu demandes à la circulation de me retrouver la Chrysler à bord de laquelle se trouvaient les gentlemen qui viennent d'essayer de me faire transiter vers un monde meilleur. Pour le reste, on verra ça plus tard.

Il fait une drôle de gueule, Langelier.

— Max… On a deux gars qui se sont cassé la gueule en te poursuivant.

Du coup, je me mords les lèvres.

Langelier poursuit d'un ton devenu mauvais.

— Pourquoi tu ne t'es pas arrêté ? Tu sais, quand tu n'es pas en service, tu es un citoyen comme les autres ! Il va falloir rendre des comptes. J'ai pas l'intention de laisser passer cette affaire-là.

Trop, c'est comme pas assez ! Je veux bien qu'on me pile sur les pieds mais quand on cherche à me les casser, j'aime pas ça ! Mais pas du tout ! Si, en plus d'avoir des tueurs à mes trousses, il faut que mes petits camarades de travail commencent à me chercher des puces, je vais finir par développer une paranoïa aiguë.

Langelier, c'est un bon gars mais il est plus têtu que dix Beaucerons. S'il entreprend de faire ce qu'il dit – et rien ne me permet d'en douter – il va y avoir une sérieuse chicane de services. Je l'en avertis.

— Paul, il faut que tu comprennes deux choses : en dehors de mes heures de service, comme tu dis, je suis un citoyen comme les autres. Mais je considère que je suis en service dès que des individus essaient de me faire avaler mon extrait de naissance. Deuxièmement, si tu me cherches, tu vas me trouver vite. Si tu veux faire des histoires avec l'accident de tes deux flics, je serai obligé de faire intervenir le grand boss pour que tu me foutes la paix. En passant, ils ne sont pas morts, tes bœufs ?

Toujours agressif, il me répond que les deux policiers ne sont que blessés. Même pas sérieusement.

— Mais, ajoute-t-il, je connaîtrai le fin mot de l'histoire. Ce n'est pas un officier des stup qui va m'arrêter. Tu peux faire intervenir qui tu veux, je m'en fous. Je commence à trouver qu'il y a un peu trop de vos gars qui interviennent dans notre juridiction… Avant, Max, tu collaborais avec nous quand il y avait du nettoyage à faire mais maintenant, on dirait que tu veux jouer au cowboy solitaire. Ça, ça marche pas…

C'est donc ça. Une crisette de jalousie professionnelle. Le monsieur s'imagine que j'empiète sur son territoire et il n'est pas content. Décidément, notre service est discret. Même les officiers du poulailler n'ont pas l'air de savoir ce qui se passe. La réaction de Paul m'en donne la preuve. Ça me ramène de bonne humeur.

— Tu as deux minutes, Paul ? Je voudrais te faire rencontrer quelqu'un qui t'expliquera certaines choses. Comme il est le seul à avoir l'autorisation de divulguer ces infos, je tiens à ce que tu le vois.

— Qui ça ?

— Mon patron. Tu vas le reconnaître en le voyant… Et il va t'expliquer pourquoi il faut que tu collabores avec moi.

Il hésite. Mon sourire narquois commence à faire son effet et Langelier ne sait plus très bien quoi penser. Il doit se dire que je me fous de sa tête, que je prends les choses bien à la légère mais en même temps il semble intrigué.

— Qu'est-ce que tu veux que je dise à Champoux ? Je n'ai pas d'ordre à recevoir de lui.

Champoux, c'est le commandant de la section des stupéfiants.

— Justement, c'est pas Champoux que tu vas rencontrer.

Je m'empare de mon téléphone, je compose trois chiffres et la voix usée du patron me répond. À l'entendre, il est évident qu'il n'a pas dormi de la nuit.

— Monsieur, c'est Saint-Ours… Pouvez-vous recevoir le lieutenant Langelier, des homicides ? J'ai des petits problèmes avec lui.

Le boss me demande pourquoi les homicides s'intéressent à moi et je lui explique que j'ai eu des petits ennuis avec ma voiture au cours de la nuit.

— Et qu'est-ce que vous voulez que ça me fasse, Saint-Ours ? Réglez vos problèmes tout seul !

Puis, se ravisant, il me répète qu'il ne comprend pas pourquoi les homicides s'intéressent à un truc qui relève de la circulation.

— Simplement, monsieur, parce que les avaries causées à mon véhicule ont été provoquées par une distribution expresse de projectiles… Et moi, j'ai endommagé un autre véhicule à coups de .38 alors que Gerbier m'imitait à coups de .45.

— Et le tapage dans la rue, tout à l'heure,

reprend le patron, c'était vous aussi?

Je lui réponds par l'affirmative. À l'autre bout de la ligne un long silence m'est opposé. Finalement, j'entends un gigantesque soupir.

— J'imagine que les gars des homicides croient que vous jouez dans leurs plates-bandes et je suppose qu'ils n'aiment pas ça? C'est ça?

— Oui, monsieur.

— Bon. Envoyez le moi.

Je dépose l'appareil sur son socle et je jette un œil amusé à Langelier. Bourru, il n'a pas dit un mot et n'a pas arrêté de me fixer tout au long de la conversation.

— Quatrième porte à droite. Tu es attendu.

En maugréant, il se lève et quitte mon bureau. Avant de fermer la porte, il m'indique que mon patron est mieux d'avoir de bons arguments pour le faire changer d'avis. Je lui rétorque que j'en suis convaincu. Sitôt Langelier parti, je compose un autre numéro et j'obtiens la téléphoniste.

— Appelez-moi Michel Longtin, s'il vous plaît.

Je raccroche au moment où Gerbier pousse la porte du bureau, un large sourire accroché aux lèvres.

— Tu as eu des problèmes ce matin ?

— Plutôt, oui. Claude, tu vas t'accrocher à mes jupes et tu ne me laisseras pas d'une semelle. Ça commence à sentir mauvais pour moi et j'ignore pourquoi. La seule chose que je peux voir, c'est qu'on commence à les agacer sérieusement et qu'ils n'ont pas trouvé ce qu'ils cherchent. S'ils avaient les documents, ils nous foutraient la paix. Ce n'est pas précisément ce qui se passe. Imagine… C'est nous qui sommes à la chasse et on est devenu le gibier. C'est le boutte !

Le téléphone sonne et je suspends ma conversation avec Gerbier pour en entamer une autre. La téléphoniste m'apprend gentiment que j'ai la communication avec le numéro demandé. Une voix que je ne connais absolument pas me répond. Un des collaborateurs de Longtin, probablement.

— Michel est là ?

À l'autre bout de la ligne, on me laisse patienter un peu.

— C'est-à-dire qu'il y est et qu'il n'y est pas, me répond-on. On peut savoir qui l'appelle ?

Comme je n'ai aucune raison de cacher mon identité, je la décline à mon interlocuteur en lui demandant de faire le message à Longtin.

— Bon, lieutenant, moi je voudrais bien faire ce que vous me dites mais je crains que ça ne soit très difficile parce que Longtin est plein de trous.

J'en reste coi. Longtin est mort!

— Mais qui est au téléphone?

— Sergent Gadouas du poste 34. Si vous voulez venir, vous êtes le bienvenu.

Je raccroche sans saluer. Je dois avoir une sale gueule car Gerbier a une mine toute sérieuse. En deux mots, je lui explique ce qui se passe et me précipite vers la sortie, Gerbier sur les talons. À l'angle du corridor, je bute sur le gros et je manque de tomber à la renverse.

— Tu sais pas que même les locomotives doivent rouler à droite?

— Écrase, Max! Jette un coup d'œil là-dessus.

Il me tend un journal. J'y vois, en première page, la scène du meurtre survenu hier midi. L'histoire fait la deux et la trois et les détails ne manquent pas. Tout y est: l'identité des trois victimes, le secret de leur rencontre, l'assurance de la Lloyd's, etc. On précise également que l'enquête est curieusement menée puisqu'on a vu sur place des policiers des stupéfiants et des homicides. Ce ramassis de flics de diverses sections, écrit le journaliste, laisse croire que l'affaire est importante et qu'elle pourrait être reliée au monde de la drogue. Cependant, ajoute le reporter, on se demande ce que les services officiels américains font dans un tel guêpier.

Pour un peu, il décrivait le contenu de la mallette et le curriculum vitae de Racine. C'était déjà bien assez que le journaliste sache qui étaient Harris Johnston et Rougier.

Relevant la tête, je dis au gros de nous trouver deux bagnoles dans l'immédiat et de se préparer à faire rouler l'honorable débris qui lui sert de véhicule.

Je replonge le nez dans le journal, accompagné de Gerbier qui lit par-dessus mon épaule, même si je devrais dire par dessous mon bras.

Langelier sort du bureau du boss, un peu pâle, comme un type qui relève d'une crise de foie. En me voyant, il vient me rejoindre.

— Ton patron a de bons arguments, Max. C'est d'accord, j'écrase le coup et je me mets à ta disposition. Tu auras tous les renseignements voulus cet après-midi. Je m'occupe aussi de la Chrysler.

Je laisse tomber le journal. Le reste n'est plus intéressant. Il ne s'agit que du film des événements, truffé des témoignages du patron du bistro, de quelques clients, des serveurs. Bref, les journalistes ont bien fait leur travail. Ils ont suivi exactement notre méthode.

— Paul, je m'excuse mais il fallait que j'aie les mains libres. Bon, je suis content de savoir que tu t'occupes de me trouver quelques renseignements. Mais j'ai un petit problème. Je crois que l'équipe que je poursuis est en train de faire le vide autour d'elle. Michel Longtin – tu t'en souviens ? – a été abattu. J'ai peur que d'autres témoins ne se mettent à disparaître. Peux-tu faire surveiller les serveurs et le patron du restaurant ainsi que les deux préposés du Sofitel et du Hyatt ? En ce qui me concerne, je m'occupe de sauver ma peau.

Je crois que ça le démoralise, Langelier, de savoir qu'il danse sur un plancher couvert de merde. Il hoche le chef et, après l'avoir recouvert, il prend la porte sans dire un mot. Gerbier et moi on fonce vers les garages. Le gros nous attend dans ce qui fut, il y a une quinzaine d'années, une voiture.

— Vos voitures vous attendent. Moi, qu'est-ce que je fais ?

Je jette un œil aux bagnoles. On nous a octroyé deux Ford tellement anonymes que tout le monde va deviner ce qu'on fait de nos journées. Pas le choix, faut travailler avec les moyens du bord.

— Bouboule, on se rend chez Michel Longtin. Il a été abattu cette nuit. Toi, tu me précèdes et tu essaies de voir s'il n'y a pas de danger. Si tu remarques quoi que ce soit, tu téléphones. Claude ferme la marche.

Honnêtement, je ne sais pas du tout ce que je vais faire chez Longtin. Mais il a peut-être des documents qui peuvent m'intéresser. De toute façon, uniquement constater comment le travail a été fait peut être édifiant.

On fait tout le parcours doucement, en restant constamment en communication. Finalement, il ne se passe rien et je me dis que j'ai peut-être un peu trop forcé sur la sécurité. Ce qui ne change rien à l'affaire puisque j'ai besoin de mes deux comparses. J'ordonne au gros de se rendre au journal pour discuter avec les journalistes afin d'apprendre, s'ils acceptent de parler, qui les a renseignés sur les identités de nos clients, même si j'ai ma petite idée à ce sujet, et je m'attribue Gerbier comme garde du corps.

L'appartement qu'habitait Longtin est situé dans une tour d'habitation dont la moyenne du prix des loyers scandaliserait Donald Trump lui-même, s'il avait une once de morale et d'empathie. L'entrée, largement occupée pour l'instant par des taupins en uniforme bleu, doit, normalement, être agréable. Un peu partout des plantes exotiques complètent le décor et le tapis qui recouvre le hall permet de supposer que l'on circule sur de la guimauve. Une deuxième porte à serrure électronique donne accès au premier niveau et aux ascenseurs.

La chose m'intrigue. Il a bien fallu que le tueur la franchisse. C'est vrai qu'un type qui fait un boulot de ce genre, c'est le moindre de ses soucis. Il va se démerder pour entrer.

Un des flics nous empêche de passer, une fois arrivés à l'étage, sous prétexte que nous n'avons pas nos cartes. C'est idiot comment ces trucs te manquent le jour où tu ne les as plus sous la main. Quand ces documents sont en ta possession, tu jurerais ne jamais les utiliser. Question d'habitude. En ayant la certitude de les avoir, on finit par oublier qu'on s'en sert constamment. Mais quand on ne les a plus, ça fait chier !

Après un échange avec les policiers de garde, l'un d'eux accepte d'aller déranger l'officier, qui se ramène. Gadouas, le gars qui m'a parlé au téléphone, est un bonhomme à l'allure athlétique, au regard franc et qui, tout en étant très poli, démontre une très grande fermeté. Le genre beau voyou, si on peut dire. Chose certaine, ses hommes lui obéissent au doigt et à l'œil. Après avoir jeté un regard à son patron par-dessus son épaule, le flic en faction devant l'ascenseur nous laisse passer.

— Les cadavres sont par là, dit simplement Gadouas.

Je dois avoir l'air du crocodile à qui on a placé un bâton dans la gueule puisque Gadouas complète en disant : « Bien oui, j'en ai deux, j'ai oublié de vous le dire au téléphone. »

On arrive en silence devant la porte du penthouse qu'occupait notre ancien confrère. L'endroit est plutôt joli. C'est une seule et très vaste pièce qui renferme des meubles de grande qualité comprenant des coussins-divan, l'éternel et obligatoire chaîne stéréo, un petit bar encastré avec, sur une mezzanine, une salle à manger et, plus loin, une chambre à coucher qui n'est composée que d'un gigantesque lit et d'un paravent chinois, histoire de préserver son intimité.

Gerbier jette un œil envieux sur le lit: il ne devait pas s'ennuyer Longtin.

Gadouas soulève la couverture qui recouvre le corps encore recroquevillé sur ses coussins. Il est dans la position où on l'a trouvé. Il affiche des blessures qui ne pardonnent pas. Deux trous à la poitrine et un autre à l'estomac. Si les balles n'avaient pas touché le cœur, sa blessure à l'estomac l'aurait tué. Il aurait agonisé dans des souffrances atroces.

Gerbier, quant à lui, examine l'autre cadavre. Il se relève.

— C'est Aldo Baretti. Je me demande ce que cette ordure pouvait bien vouloir à Longtin.

Gadouas arrive à la rescousse.

— D'après les renseignements qu'on a pour l'instant, il semble que Longtin a laissé entrer le tueur chez lui. Mais il devait être méfiant, puisque son revolver était caché là, sous le coussin. Voyez, il a tiré à travers. Ce qui est évident, c'est qu'il a tiré en second puisque son meurtrier a eu le temps de se rendre à la porte et que toutes les balles l'ont touché dans le dos. Selon les voisins du dessous, il y a eu un coup de feu, trois coups de feu et, finalement, encore deux autres. Tous les projectiles ont atteint leur cible. Et ces gars-là n'entendaient pas à rire : il y en a un qui travaillait au .45 et l'autre au 9 mm.

Ce genre d'explications me laisse totalement froid. À vrai dire, ça ne m'intéresse pas du tout. C'est un travail pour les homicides, ça.

— Vous avez tout fouillé ?

— Oui, tout… On n'a rien trouvé de vraiment étrange compte tenu du métier de Longtin. Des dossiers sur des fraudeurs, des commerçants, des ordres de sa compagnie. Parmi ses papiers personnels, des trucs ordinaires : permis de conduire, cartes de crédit. Pas de notes, si c'est ce à quoi vous pensez. Pour Baretti, c'est pareil, sauf qu'il avait 4 000 $ sur lui.

Je salue Gadouas et on se pousse.

CHAPITRE 8

— Claude, le dénommé Baretti, c'était qui exactement ? Petit bum ? Tueur professionnel ? Minable ou sérieux ?

Il se vrille l'oreille droite avec son auriculaire, prend une inspiration et, comme s'il venait de comprendre ce que je lui dis, il me regarde d'un air ahuri.

— Baretti ? Voyons Max, c'est le gars que les types du crime organisé avaient tenté de mettre à l'ombre pour le vol de la Brink's, tu sais, le vol de vingt millions ?

La mémoire me revient. Un matin, alors que les gardes de la Brink's allaient livrer des billets de la reine à une banque, ils s'étaient retrouvés entourés de truands qui, sans aucune hésitation, ont ouvert le feu. Trois morts, vingt millions envolés. L'enquête avait pris plus d'un an et quand les policiers ont tenté de faire porter le chapeau à Baretti, une foule de témoins est venue dire qu'il ne pouvait avoir participé à ce vol. On l'avait tout de même inculpé, les enquêteurs croyant être capables de le coincer. Mais il aurait fallu tenir compte de l'avocat de Baretti. Plus bandit que son client, il n'en demeure pas moins un avocat de génie et l'accusation avait été confiée à un procureur qui, malgré toute son expérience, ne lui arrivait pas à la cheville. Après un mois d'un procès stérile, un flic a fait une erreur dans sa déclaration à la cour, ce que Chamberlain, l'avocat de Baretti, a mis à profit jusqu'à ce qu'il tire son client des griffes de la justice.

Après, je sais que les flics avaient mis un « fix » sur la tête de Baretti. S'il avait le malheur de se faire coincer dans quelque affaire, il n'en sortirait pas vivant. Maintenant, il est mort et le « fix » n'aura pas à être appliqué.

— À mon avis, poursuit Claude, ce n'était qu'un homme de main. Son quartier général, c'est le Lion d'Argent, un des trous du boulevard Langelier. La boîte appartient à Tony Vanelli.

Ça me fait tiquer. Vanelli, c'est une très vieille connaissance. Un bandit intelligent qui se donne des allures d'homme d'affaires et qui fait faire tout le sale travail par les autres. Il y a une dizaine d'années, ce n'était encore qu'un petit truand qui tentait de se faire une place au soleil et je me rappelle très bien lui avoir secoué les puces à quelques occasions.

— Viens, on va voir Vanelli.

Quelques minutes plus tard, on stationne nos bagnoles devant le cabaret. Même s'il est très tôt, des clients sont déjà attablés et la baraque a repris ses odeurs de tabac et d'alcool. Sur la scène, une fille à la peau du ventre trop grande fait des contorsions sur un air techno. Ça se veut excitant mais ça ne réussit qu'à être triste. Dans la salle, des filles à poil font le service et tentent d'esquiver les mains baladeuses. Notre arrivée n'est presque pas remarquée, sauf par le barman qui nous regarde approcher avec des yeux interrogateurs. Il tient dans les mains une bouteille de bière qu'il oublie de déboucher.

À le voir, c'est évident qu'il a le nez bourré de coke. Lui aussi, c'est un de nos anciens clients. Gerbier, surtout, le connaît bien.

— Salut Tom, lance-t-il sur un ton joyeux.

L'autre maugrée quelque chose qui se veut une salutation. Se rappelant qu'il a une bouteille à la main, il la décapsule enfin et la place sur un plateau où une serveuse vient se servir avant de disparaître.

Condescendant, le barman nous demande ce qu'on veut.

— On veut parler à Vanelli.

— Il est pas là.

J'attendais cette réponse. Ils ne sont jamais là pour nous accueillir et quand ils y sont, ils refusent de nous voir comme si on était atteints de la peste.

— Bon, alors c'est avec toi qu'on va jaser.

Ça ne fait pas son affaire. Ça se voit à l'espèce de grimace de répugnance qui vient d'apparaître sur son visage. Pendant une seconde, il jette un coup d'œil aux alentours, espérant visiblement se trouver de l'aide ou, à tout le moins, une excuse pour nous fausser compagnie. Hélas, rien ne se présente.

— De quoi vous voulez me parler ?

— On pourrait commencer par te parler de la dope que tu as dans le nez et de la petite réserve que tu as probablement sur toi... On pourrait aussi te demander comment tu mènes ce train de vie avec ton minable travail de serveur, avance Claude. Tu vois, les sujets de conversation ne manquent pas.

Le barman n'a pas sourcillé.

— Tu travailles pour l'impôt, toi, maintenant ?

— Non. Mais quand on veut à tout prix coincer un gars, ça nous fait plaisir de demander au fisc de passer tout le dossier du monsieur à la loupe. Généralement, les gars à qui ça arrive sont incapables d'expliquer comment ils parviennent à éviter la faillite. Du côté de la drogue, par contre, ça nous intéresse. Pour ça qu'on veut des nouvelles de ton grand ami, Aldo Baretti.

Il nous contemple silencieusement. Visiblement, il cherche une réponse qui éviterait de le compromettre.

— En ce qui concerne la drogue, me lance-t-il, vous ne pouvez rien contre moi. Je n'en vends pas et la quantité que je possède est destinée à ma propre consommation. Quant à Baretti, je ne sais pas ce que vous lui voulez. Il n'a jamais été dans la dope, lui.

— Où est-il, Aldo ?

— Sais pas.

Sur cette réponse, Gerbier me tapote l'épaule en m'indiquant du doigt de regarder dans le miroir. Le reflet nous indique qu'un individu bien mis vient de pénétrer dans le bar. La trentaine avancée, les cheveux grisonnants, il donne tout à fait l'impression du petit commerçant besogneux. C'est Vanelli.

Il ne nous a pas encore vus. Quand on arrive de l'extérieur, on ne voit rien dans ces clubs. Les yeux prennent toujours quelques secondes à s'habituer.

Gerbier l'aborde. Une petite discussion s'enchaîne et Claude me fait signe de la tête que l'entretien demandé va nous être accordé.

Nous suivons Vanelli dans un petit couloir bondé de caisses de bière, de cartouches de cigarettes et de vêtements de femmes suspendus à une multitude de patères. Au fond, il y a une petite porte sur laquelle est écrit à la craie le mot «administration». Pas prétentieux, le monsieur Vanelli.

Le bureau, par contre, est grand, bien éclairé, bien meublé et il tranche tellement sur le reste du décor qu'on a l'impression d'avoir changé de building. Le sol est recouvert d'un épais tapis et des meubles de bureau fonctionnels, aux lignes épurées, affrontent un divan de cuir conçu pour subir les pires assauts.

— Hé ben, Tony. On dirait que les affaires vont bien, ces temps-ci, lançai-je question d'entamer la conversation.

Il demeure silencieux, nous examinant l'un

après l'autre. Il doit trouver qu'on n'a pas l'air trop rébarbatif puisque finalement une esquisse de sourire apparaît dans sa face de rat. La seule chose qui permet de savoir que cet homme est partant pour les coups foireux, ce sont ses yeux gris, froids, totalement inexpressifs. Un soir, je me rappelle, on l'avait tabassé assez solidement. Pourtant, il avait gardé le silence et la même attitude. Il ne semblait pas nous en vouloir et ne semblait pas apprécier non plus. Il continuait à regarder comme si on n'y était pas. Drôle de self-control.

— Je peux vous offrir un whisky, messieurs ?

J'accepte. Gerbier refuse en lançant l'habituel cliché policier « jamais pendant le service ». Sa réponse m'intrigue. Claude n'est pas le genre d'homme à refuser un verre, surtout s'il ne le paye pas. Je me rends compte qu'il s'est assis complètement de biais à Vanelli. Sa veste est déboutonnée et de sa main droite, il tient la crosse de son arme.

La confiance règne !

Vanelli se penche sur un intercom et commande deux scotchs. Puis, il relève la tête.

— Qu'est-ce qu'un officier des drogues me veut, dit-il tranquillement.

— Oublie d'abord que je suis des stup, Tony... Pour l'instant, j'ai une job beaucoup plus embêtante et je me fie à toi pour me donner quelques petites explications.

Il attend. J'enchaîne.

— Où est Baretti ?

Sans bouger un sourcil, il me répond benoîtement.

— Vous le savez. Il est mort. Les postes de radio ont commencé à diffuser la nouvelle.

Sa réponse ne me démonte pas. Il n'y avait aucun empêchement à la publication de cette nouvelle. Mais je veux quand même l'ébranler.

— Tony, dis-je doucement, pourquoi as-tu fait descendre Longtin ?

Là, il conteste. Il vient de se rendre compte, en un dixième de seconde, que je suis venu lui apprendre que je veux lui coller la fusillade de chez Longtin sur le dos. Pourtant, la réaction de panique qui l'a menacé brièvement est disparue. Il sourit de nouveau.

— Ça n'est pas sérieux, lieutenant, vous ne pouvez pas me coller ça sur le dos. D'autant plus que je n'ai pas vu Baretti depuis trois semaines au moins. Tout le monde pourra vous le confirmer.

Notre petite discussion est interrompue par une fille complètement à poil qui vient déposer les deux verres réclamés par son patron. Je songe, pendant cette interruption, au fait que Baretti s'est tiré depuis un bout de temps. Là-dessus, je crois que Vanelli ne ment pas.

— Écoute Tony… Baretti était un de tes hommes. M'étonnerait beaucoup que tu acceptes que ton monde te quitte comme ça. Normalement, on ne sort pas de ton petit groupe sélect en remettant sa démission comme un fonctionnaire. Alors tu vas m'expliquer en détails comment tu as accepté de le laisser partir…

Il plonge le nez dans son verre, exactement comme s'il se trouvait dans un salon en compagnie de ses meilleurs amis. Il hausse les épaules et affirme sérieusement qu'il ne se rappelle plus les circonstances entourant le départ de Baretti. C'est l'heure du cinéma et je connais mon rôle autant que lui.

— Écoute, minable, dis-je en haussant le ton. J'en ai plein ma culotte des petites activités des vingt-quatre dernières heures. Cette fois-ci, toi et ta gang de trous de cul, vous avez mis les pieds sur des œufs et vous êtes en train de faire une grosse, grosse, grosse omelette ! Compris ? Et si tu n'as pas encore compris, laisse-moi éclairer ta lanterne : on est dans une mauvaise passe et il va falloir qu'on se trouve des coupables ! Vite ! Alors si ça te tente pas de porter le chapeau, tu fais mieux de nous dire maintenant ce qui se passe.

Ça l'ébranle un peu mais il se maîtrise quand même très bien.

— J'ai de bons avocats, lance-t-il mollement.

Alors là, j'ai un trait de génie.

— Qui t'a dit qu'il y aurait un procès ? Non, vois-tu, moi, je parlais plutôt d'un « fix »…

Il est touché le pauvre homme. Ça, il sait ce que ça veut dire. Lui, il aurait parlé d'un « contrat ». Ses yeux vont de Gerbier à moi, doucement mais sans arrêt. Il cherche à savoir si nous sommes sérieux.

— Vous savez, reprend-il doucement et même trop poliment, c'est la première fois qu'un officier de police me menace de mort… J'ai beaucoup de difficulté à croire que vos services se permettraient un jeu aussi dangereux.

Il ne me reste plus qu'un as à jouer.

— Mais qui t'a dit que ce serait nos services,

Tony, je lui demande de ma voix la plus enjôleuse.

Pour lui, c'est la grosse interrogation. Il ne sait plus quoi penser, ce petit marchand de fesses avariées.

— À quoi faites-vous allusion, avance-t-il prudemment.

— Quand je t'ai dit que tu avais foutu les pieds dans une poubelle, tu as fait semblant de ne pas croire que c'était aussi sérieux. Remarque, je comprends ta réaction : à force de vivre dans une poubelle, on perd l'odorat. Mais là, tu es le premier maillon d'une enquête internationale qui ne relève pas de la police. Si tu ne m'expliques pas les choses de la vie, je file ton adresse aux spéciaux US et russes. Après ça, tu pourras dire bonjour à ta vie de famille. Par contre, si tu jases, je te garantis que ça reste entre nous et que tu n'entendras plus parler de nous pour longtemps, à moins, évidemment, que tu reviennes jouer sur un terrain que tu ne connais pas.

Ses yeux ne trahissent aucune émotion mais il est évident que ça ne l'enchante pas de savoir qu'il joue avec des types sans aucune règle, sauf l'efficacité, et qui ne peuvent être joints par des relations occultes.

Il lâche le morceau.

— Baretti s'est poussé il y a trois semaines avec un Américain.

— Le nom de ce monsieur ?

Il hésite.

— Alors ?

— Je ne sais pas…

Claude éclate de rire.

— Tes gars se poussent avec un Américain et tu ne prends pas de renseignements ? Tu vieillis, Tony.

Il passe une main bien manucurée dans ses cheveux.

— Bien sûr, reprend Vanelli, je suis allé aux renseignements. Le gars s'appelle Andrew Harvey. Un faux nom. Puis, on m'a fait savoir que j'étais trop curieux.

Je tends le portrait-robot de notre type. Vanelli fait la moue en voyant l'œuvre de nos techniciens réalisée sur la foi du commis du service de location et des caméras de rue.

— Ça lui ressemble…

— Il était seul ? demande Claude.

— Je ne l'ai vu que deux ou trois fois, au bar, quand il prenait un verre. Il discutait de n'importe quoi avec les filles et il avait l'air d'un touriste en vacances. Je ne l'ai jamais vu accompagné.

Je tends cette fois le portrait de la fille. Il jette un œil aussi négligé que négligent dessus et branle le chef pour indiquer qu'il ne la connaît pas.

— Sûr ? dis-je.

— Une poule comme celle-là dans une boîte comme la mienne, ça se remarque.

C'est vrai que ma cliente n'a pas une tête à traîner dans les boîtes topless.

— Qui t'a dit de ne pas chercher à savoir qui était le monsieur ?

Il tique. La question le fatigue, c'est évident. Je crois qu'il a aussi peur de celui qui lui a donné cet ordre que de nous.

— Ça reste entre nous ?

— Ça va de soi…

— Karamanlis…

Voilà les Grecs qui s'en mêlent à présent. Qu'est-ce qu'un spécialiste de la fausse identité et du maquillage de voiture vient faire dans le décor ? Pourtant pas sa ligne. Qu'il fournisse des produits, à l'occasion, ça va, mais qu'il soit aussi important dans le milieu, il y a de quoi s'étonner.

Je fais part de mon ébahissement à mon aimable interlocuteur.

— Il m'a simplement dit que je jouais trop gros en essayant de savoir ce qui se passait et il a ajouté que je devais prendre cet avertissement très au sérieux. J'ai cru à une affaire de contrebande internationale et j'ai écrasé, c'est tout.

On n'en sortira plus rien. J'avale mon verre d'un coup. La chaleur m'envahit la gorge et me fait grimacer. Je me lève pendant que je sens mon téléphone vibrer à ma ceinture. Je jette un coup d'œil à l'écran et je constate que c'est le gros qui appelle. Ce n'est peut-être pas prudent de répondre en présence de Vanelli mais je prends le risque.

— Max, dit-il, j'ai parlé aux journalistes. Ils n'ont pas voulu jaser mais c'est clair que c'est Longtin qui les a renseignés. Le numéro du journal apparaissait encore dans les appels sortants de son cellulaire.

Je m'en doutais.

— Il y a du nouveau, poursuit le gros. Le rapport du service de circulation m'indique qu'on a retrouvé les voitures des gars qui ont essayé de te faire bobo. Des bagnoles volées. Leurs propriétaires n'ont rien à voir avec le milieu. Des travailleurs sans histoire. L'enquête auprès des hôtels a donné des résultats. Au Bonaventure, un portier s'est rappelé avoir monté les bagages de la fille. J'ai envoyé Lemieux pour entreprendre une filature. Moi, tu comprends, elle m'a pris le portrait à coups de bottine. Qu'est-ce que je fais maintenant?

Ma réponse est brève.

— Va me chercher Karamanlis. Je veux l'avoir au bureau le plus tôt possible. Carte blanche, compris?

— OK.

Et il raccroche. Je compose le numéro du bureau et je demande le patron. Sa secrétaire me gazouille qu'il est occupé et je réponds que je le suis également. Elle monte le ton et moi aussi. Finalement, après m'avoir expliqué qu'il est tout de même malheureux qu'un joli garçon comme moi soit aussi tranchant, elle m'annonce sur un ton acide qu'elle cède à ma demande et elle va déranger le boss pour savoir s'il accepte de me parler. Elle se dégage de toute responsabilité en cas de refus, me précise-t-elle.

Finalement, il me répond. Le son de sa voix est aussi chaleureux qu'un congélateur fonctionnant à plein régime.

— Désolé, boss, mais on a repris la piste. Il faut faire installer des micros dans une chambre d'hôtel actuellement surveillée par Lemieux. Il faudrait aussi taper le téléphone et s'assurer que la personne est sous surveillance vingt-quatre heures par jour.

Le boss grogne qu'il s'occupe de faire le nécessaire et raccroche.

Je prends congé de Vanelli. Gerbier, près de moi, dégaine son arme et braque Vanelli en disant : « allez, donne-moi ça… »

Notre truand distingué marque un temps d'arrêt, examine le pistolet de Gerbier et, enfin, soupire. J'observe la scène en silence, sans comprendre.

— De quoi voulez-vous parler, demande enfin Vanelli.

— Arrête de jouer au cave, rétorque Claude. Allez… La bande…

Vanelli soupire de nouveau et glisse la main sous le bureau pour en retirer un petit appareil à cassettes. Il le tend à Claude qui prend la cassette et la glisse dans sa poche avant de rengainer son canon. Il envoie ensuite son poing dans la gueule de Vanelli, de toutes ses forces.

— La prochaine fois que tu voudras forcer des gars à devenir ripoux, lance Claude, assure-toi qu'ils n'ont jamais perquisitionné tes appartements.

Vanelli a un œil qui gonfle. Demain, il sera tout noir. Je me sens devenir mauvais. Avec un montage habile, cette ordure aurait pu nous faire chanter ad vitam aeternam. Mais je n'ai pas le temps d'exercer des représailles.

On franchit le bar et on réintègre nos véhicules. Je suis à peine assis que mon téléphone sonne. C'est Claude.

— Tu penses qu'il voulait nous faire chanter ou il voulait vendre l'information ?

— Sais pas… Mais ce qui est certain, c'est qu'il va avoir quelqu'un au cul jusqu'à la fin de cette enquête. Et il a besoin de filer doux !

* * *

Dans le bureau, Bouboule attend, les deux pieds sur ma chaise, en grignotant un reste de pizza.

— Le client est en bas, prononce-t-il, la bouche pleine.

J'appelle aux cellules et je demande que mon patient me soit amené sur l'heure. Karamanlis, à Montréal, c'est une légende. Cinquantaine d'années, l'air noble, il se spécialise avec ses artistes dans le maquillage des voitures et des papiers. C'est vraiment un as. Si on lui confie une Ford 1928 en lui précisant regretter qu'elle n'ait pas l'allure d'une Mustang 1971, la chose s'arrange. Je crois que la première fois qu'il a été condamné, j'étais encore dans les spermatos de mon père, ce qui commence à faire pas mal de lunes.

La porte de mon bureau s'ouvre et un gardien pousse doucement à l'intérieur un monsieur vêtu d'un superbe veston de tweed et d'un pantalon de toile beige d'une coupe exceptionnelle. Il porte aussi une cravate et une chemise qui ont dû être de très bonne qualité avant d'être totalement maculées de sang. La figure du type est méconnaissable. Il a les deux yeux pochés, les lèvres éclatées et pleines de sang coagulé. Cependant, il est irréprochablement coiffé.

Je jette un œil à Bouboule. Le monstre hausse les épaules et pointe le sujet d'un doigt luisant de sauce tomate.

— Voulait pas venir, précise-t-il en engloutissant sa dernière croûte de pizza.

— Enlevez-lui ses menottes... Asseyez-vous M. Karamanlis, prononçai-je doucement.

Karamanlis prend place sur une petite chaise de bois pendant que le gros se torche les doigts avec des formulaires qu'il balance ensuite négligemment sur le bureau.

— Je réprouve vos méthodes, laisse échapper Karamanlis entre ses lèvres éclatées.

Le gros, qui est à portée de pogne, lui allonge une magistrale claque qui l'atteint sur le museau et entraîne un épanchement carabiné de sang. Sa chemise et sa cravate deviennent uniformément rouges.

Karamanlis sort des kleenex pour s'essuyer le nez.

— Pour t'apprendre à être poli, précise le gros.

De la main, je calme mon boxeur. La porte s'ouvre pour laisser entrer Gerbier. Maintenant, ça va être la grande comédie. Le jeu du bon et du mauvais flic. Karamanlis connaît sûrement mais j'en ai rien à foutre.

— Vous savez pourquoi vous êtes ici, M. Karamanlis ?

Il nie par de vigoureux coups de tête.

— Je veux voir mon avocat tout de suite.

La phrase se perd dans le son d'une autre claque qui vient d'atteindre son but. D'un signe de tête, j'indique au gros de mettre un frein.

— Pas d'avocat, M. Karamanlis. Pas tout de suite, en tout cas.

— Ce n'est pas légal, conteste-t-il.

— La légalité, on s'assoit dessus, risque le gros.

— M. Karamanlis, vous allez tout nous dire au sujet d'un dénommé Andrew Harvey.

La réponse est brève, nette et précise.

— Connais pas, souffle-t-il.

Je soupire. C'est lassant, tous ces individus qui ne veulent jamais parler. C'est lassant parce qu'ils finissent tous par parler. C'est une question de temps. Il y a bien des coriaces qui s'y refusent mais ceux-là, on les reconnaît presque tout de suite et on fait des tentatives pour la forme. Généralement, avec ces derniers, la méthode psychologique est meilleure même si elle ne donne pas toujours de bons résultats. Le problème, avec Karamanlis, c'est qu'on sait qu'il va parler. C'est un type bien installé dans le milieu et le fric l'a ramolli. Il n'a rien d'un dur. C'est un artiste lui. En plus, il ne doit pas comprendre ce qui arrive et il doit se dire qu'on n'a pas entendu parler de la Charte des droits, nous. Faut admettre que les méthodes qu'on utilise avec lui sont un peu archaïques.

Le gros me jette un coup d'œil. Il est appuyé sur son bureau et tient d'un doigt une paire de menottes qu'il balance doucement.

— Tu crois qu'il est assez en santé, questionnai-je en m'adressant au gros.

Bouboule s'approche de notre client et lui manipule les biceps, le cou, jette un coup d'œil appréciateur et semble relativement satisfait.

— Jamais eu de crises cardiaques, Pépé? lance-t-il à Karamanlis.

De la tête, il nous indique qu'il n'a jamais eu d'infarctus.

Gerbier, jusqu'alors silencieux, me regarde et dit: « désolé, moi, je sors. Je déteste voir ça. »

La gueule ravagée du Grec prend une teinte transparente. La remarque de Gerbier, bien que sincère, a eu le don de l'effrayer terriblement. À vrai dire, la technique que nous allons utiliser me révulse aussi mais il ne nous reste plus assez de temps pour farfiner.

Bouboule a mis le Grec debout d'une seule main et l'a retourné. D'un geste expert, il lui met les menottes aux poignets.

Le Grec n'a pas l'air de s'énerver. De prime abord, cette solution semble moins dramatique

que les baffes de mon collaborateur. Le problème, c'est qu'après quelques secondes, Bouboule appuie sur les deux parties qui enserrent un des poignets du Grec. Un léger cliquetis nous apprend que la menotte se resserre comme un étau ou plutôt comme les lames d'un ciseau.

Le visage de Karamanlis se crispe sous l'effet de la douleur. Bouboule me jette un regard par-dessus l'épaule du patient. Je fais un petit signe de la tête.

Subitement, il presse les deux sections du bracelet qui encercle l'autre poignet. Des larmes noient les yeux de Karamanlis qui ouvre la bouche comme s'il cherchait son air. Bouboule s'empare des menottes et les relève brusquement vers le haut. Cette fois, le Grec gueule en pliant pour empêcher que ses bras ne lâchent ses épaules. Une dizaine de secondes ne se sont pas encore écoulées qu'il est prêt à nous raconter l'histoire de son pays natal dans les moindres détails, avec explications supplémentaires sur les us et coutumes des Hellènes.

Tout en le maintenant dans sa position pour l'empêcher d'oublier certaines précisions, nous notons, que dis-je, nous buvons les paroles du Grec. Il n'est qu'un simple intermédiaire à qui on a envoyé le dénommé Harvey. Il n'a pas cherché à avoir plus de renseignements sur le monsieur parce que c'était un de ses bons contacts à New York qui le lui recommandait. Il a pourtant soupçonné que ce n'était pas un gars de la gaffe mais il s'est bien gardé de tenter de lui tirer les vers du nez.

À ce stade des confidences, j'ordonne au gros de placer Karamanlis sur sa chaise et il continue à nous raconter sa vie des derniers jours comme si nous étions de vieux amis.

— Tout ce que le gars voulait, c'était une série de faux papiers : passeports britannique, américain et allemand. Il voulait également que je mette à sa disposition des voitures aussitôt qu'il en aurait besoin. Ce que j'ai fait.

— Tu me prends pour une valise ? je gueule. Tu t'imagines quand même pas qu'on va avaler ça ? Et Baretti ? Qui l'a mis en contact avec Harvey ?

L'artiste du faux passeport baisse la tête pendant que le gros fait mouvement vers lui. Il comprend que s'il nous cache quelque chose, la petite séance de persuasion va recommencer. C'est fou ce que la peur peut rendre volubile. Les hommes, quand ils ont la trouille, retrouvent leur vocabulaire, leur syntaxe, leurs idées.

— Harvey voulait des hommes qui n'ont pas froid aux yeux, confie-t-il. Comme ce n'est pas mon domaine, j'ai fait appel à de lointaines connaissances pour trouver ces individus.

— Combien en a-t-il recruté ? demande le gros.

— Quatre, hésite le Grec.

— Il n'en reste donc plus que trois sur la route, dis-je pensivement.

— Deux, précise Karamanlis.

— Comment deux ?

Mon étonnement devait être par trop évident car, à travers le maquillage foncé qui entoure les yeux du Grec, j'ai cru constater que son regard avait pris une teinte amusée.

— Baretti est mort, selon les journalistes… Et il y en a un autre qui a eu un accident la nuit dernière.

— Comment tu le sais ? jette le gros.

Karamanlis lui accorde un œil strié de veines éclatées.

— Quand vous êtes arrivés chez moi, j'avais Harvey en ligne. Il me demandait de lui trouver deux autres partenaires.

Il me vient une idée. Si notre homme cherche du monde, il retournera peut-être voir Vanelli pour lui demander de la main-d'œuvre, surtout qu'on vient de mettre Karamanlis hors circuit car, dans son cas, il ne remettra pas le nez dehors avant que toute cette affaire soit terminée. Le vendeur de fesses frisées m'a bien dit qu'il avait vu l'Américain à son bar en compagnie de Baretti. Il est donc probable, en désespoir de cause, qu'il s'adresse à Vanelli directement. Reste à savoir si Harvey a toujours la même tête. Ce que je demande à Karamanlis

— Les passeports que tu as faits à ton client ont-ils tous la même photo ? lui dis-je en montrant notre portrait-robot.

Il promène sur la photographie un œil négligent qui dit bien qu'il considère l'ouvrage comme du travail d'amateur.

— Qui c'est, ce gars-là ? laisse-t-il tomber.

Je manque m'étrangler. Le gros, aussi surpris que moi, réagit plus rapidement et allonge une superbe claque qui provoque le craquement de deux vertèbres cervicales du Grec.

— Regarde, là, tonitrue le gros, essaie pas de jouer au cave avec nous autres, tu vas perdre !

Sur cette remarque particulièrement flatteuse pour les membres de notre service, le gros offre un aller-retour à notre invité. Pourtant, à travers les mornifles, il zozote qu'il ne connaît pas le monsieur. Je ne sais pas pourquoi mais j'ai tendance à le croire. D'ailleurs, Vanelli avait beaucoup hésité à dire que le portrait représentait Harvey.

— Arrête, Bouboule, ça ne sert à rien, je crois. Tu vas plutôt laisser monsieur répondre à ma dernière question. Alors, les passeports que tu as faits, ils ont tous le même portrait ou non ?

De la tête, il m'indique que les passeports ont des photographies différentes.

— Et celle-là, tu la connais, lui dis-je en lui exhibant le portrait de celle que je suis toujours obligé d'appeler Goldsberg.

Il regarde fixement. Puis, entrant la tête dans les épaules, il précise qu'il ne la connaît pas. Son attitude m'apparaît aussi étrange qu'au gros et c'est pourquoi il décide d'octroyer à Karamanlis une nouvelle dégustation maison. Le Grec en pleure. Pas très dur le monsieur. Plutôt délicat, même. Le gros a à peine laissé entendre qu'il voulait lui casser les doigts un à un qu'il hurle comme un damné. Bouboule se voit obligé de lui chatouiller la gorge à pleine pogne, question de diminuer le son de soprano qui en sort. Quand le silence est presque revenu, nous poursuivons cette discussion de philosophes.

— Cette femme, râle Kamaranlis, je ne la connais pas. Ce sont ses yeux qui m'ont frappé. Harvey était accompagné d'une grosse brune et j'ai cru un moment qu'elle avait les mêmes yeux… Mais je n'ai jamais vu cette femme.

Les choses sérieuses, maintenant.

— Tu possèdes toujours les photos numérisées de ton client, Kara ?

Là, franchement, il me regarde avec cet air surpris du petit garçon à qui on vient de piquer son cornet et qui ne comprend pas pourquoi.

— Voyons, me dit-il d'un air condescendant.

Évidemment qu'il a dû détruire tout ça. Faut vérifier.

— C'est quoi les identités ?

De sa voix enrouée, il énonce « Longway, Britannique, McArthy, Américain et Braun, Allemand. »

Je coupe court à la discussion.

— Toi, tu vas chez Karamanlis avec un expert pour fouiller son ordi. Les photos sont peut-être encore accessibles. Si on ne les trouve pas, tu reviens le voir et tu lui fais faire des portraits-robots. Pour un artiste comme lui, ça ne devrait pas être trop difficile. J'ai besoin de ça rapidement. S'il veut niaiser, rappelle-lui ton existence.

Le Grec jette un œil craintif sur Bouboule. Je poursuis.

— Une fois que tu as ça en mains, distribution immédiate à toutes les autorités douanières du pays avec ordre d'arrestation à vue. Tu m'en laisses une copie ici… Hey, l'artiste, en passant, c'est qui les deux tueurs qui sont toujours en circulation ?

— Richard Lemay et Claude Blanchet, murmure-t-il.

J'ai un frisson très désagréable. Ces deux bonshommes sont fous à lier. Ils ont à leur actif je ne sais combien de cadavres et on se demande parfois s'ils ne tuent pas juste pour s'amuser. Je me rappelle notamment de Blanchet à son dernier procès pour tentative de meurtre sur un gardien de prison, quelques mois avant son évasion.

C'était un vendredi soir et le jury se préparait à prendre un arrêt pour le souper. Blanchet s'était levé dans son box et avait expliqué au juge qu'il n'y avait que des sandwichs à manger au Palais de justice, ce soir-là. Comme il subissait un procès pour tentative de meurtre parce que ses gardiens avaient diminué sa ration de nourriture alors qu'il se trouvait au trou, il avait expliqué très calmement au juge que ce serait une misère s'il fallait reprendre tout le procès sous prétexte qu'il aurait «piqué» un autre gardien parce qu'il n'y avait rien à manger. Le juge avait ordonné qu'on lui apporte de la bouffe, à la grande satisfaction des gardes de Blanchet.

Quant à Lemay, il avait commencé sa carrière en violant une petite fille de quatorze ans et un adolescent de treize ans avant de les lancer vivants en bas du pont Jacques-Cartier, une chute de cent mètres. Il n'avait dû sa survivance en tôle qu'à son homosexualité et son sadisme légendaires. Lui aussi était en liberté illégale.

— Quelles voitures as-tu fournies à ton client, terminai-je enfin.

— Une Pontiac Le Mans et une Chrysler Seebring, souffle Karamanlis.

Ça correspond à la description des voitures dont les passagers m'ont attaqué. Ça fait au moins une chose d'éclaircie. Je n'aurai pas besoin de me taper les rapports de Langelier.

— Bouboule, après avoir retrouvé les photos ou les portraits-robots, tu me le fous au cachot. On pensera à l'acte d'accusation plus tard.

Le Grec me regarde étrangement.

Hésitant, il me dit: «je peux savoir ce que vous comptez me coller?»

Tout ça, c'est pour calculer le nombre de chances que son avocat a de le sortir de cette mauvaise passe.

— Bien sûr, dis-je. Accroche-toi bien après les oreilles à papa, je pense que tu vas trouver la note douloureuse: faux papiers, vol de voitures, tentative de meurtre, deux pour être précis, refus de collaboration avec la Justice, résistance à arrestation – il faut bien expliquer pourquoi tu es magané comme ça – meurtre, celui de Michel Longtin et, finalement, trahison et espionnage.

Karamanlis est devenu d'une intéressante teinte verdâtre. Visiblement, ça le dépasse. Alors, bon prince, je lui précise.

— Vois-tu, ici, c'est pas la police. Pour ça que les règles sont un peu différentes. Mais tu es chanceux d'être toujours vivant. Vingt-quatre heures de plus et tu te faisais descendre par ton client.

Maintenant, il est tout gris, Karamanlis. Je lui filerais bien des petites pilules Carter. Il en a besoin, je crois.

CHAPITRE 9

En sortant de la baraque, je tombe sur Claude qui, nonchalamment, lit le journal en profitant du soleil.

— Tu vas bouffer?

Je branle le chef en signe d'assentiment et on entreprend de se rendre au Cochon Qui Rit. Il est tard et il est plus que probable que Rolland nous vire comme des malpropres mais on va tout de même essayer.

Chemin faisant, Claude me raconte ses dernières extravagances. Pour le moment, il est avec une petite qui, prétend-il, possède des lolos qui n'ont jamais entendu parler du danger de la liberté totale. Il complète en disant que sa charmante possède un arrière-train qui continue à défier agressivement Playtex et tous ses produits. Puis, il se rembrune en précisant que les quelques heures de liberté qu'il a eues ces derniers temps n'ont pas suffi pour démontrer à la dame toutes les capacités du sieur Gerbier, ce qui le rend amer.

— Tu comprends, m'explique-t-il au moment où nous franchissons la porte du restaurant, un truc comme ça, faut pas laisser ça en circulation. Beaucoup trop risqué. Tu deviens victime de vol avant même de le réaliser.

Rolland est de bonne humeur et il ne fait guère que nous presser un peu sur le choix de la bouffe parce que la cuisine ferme dans dix minutes. On opte pour deux couscous, sans entrées ni desserts, avec un demi de rouge chimique. Je narre à Claude les résultats de l'interrogatoire. Il grimace sérieusement quand je fais allusion aux sévices. Curieux qu'un type puisse en abattre un autre sans sourciller et qu'il fonde à chaque fois qu'on fait du mal à ses prochains.

— Donc, si je comprends bien, on a maintenant cinq portraits-robots à distribuer en plus de ceux de Blanchet et Lemay.

Je fais remarquer que pour ces deux derniers, l'information est déjà largement diffusée.

Au moment d'attaquer les merguez, mon paget se met à déconner et la voix du boss se fait entendre. L'ordre est bref: rappeler au bureau. Ça m'étonne tout de même que le patron ait pris la peine d'appeler lui-même. L'ayant rejoint, je lui explique qu'on finit notre bouffe et qu'on rentre au bureau. J'ai l'impression que l'affaire est sérieuse car il m'explique qu'il se fout de mon couscous comme de sa première couche et que j'ai tout intérêt à rappliquer au plus vite. Militairement, je réponds à ses souhaits. Vieux casse-couille ! On prend quand même le temps de finir de bouffer.

En sortant, je fais remarquer à Claude que je n'ai aucune confiance dans les déclarations de Karamanlis. Après tout, il n'a pas reconnu le portrait-robot de Harvey alors que Vanelli l'a tout de même identifié après quelques hésitations.

De retour au bureau, le garde nous signale que le grand manitou va faire une crise d'urticaire aiguë si je ne me pointe pas dans son bureau dans les cinq minutes qui suivent. Gerbier m'abandonne à mon triste sort pendant que d'un pas alerte je me dirige vers l'antre du boss.

Dans l'antichambre, sa secrétaire m'indique du pouce que je suis attendu et elle accompagne ce geste d'une grimace très évocatrice sur le respect qu'elle me porte.

L'entrevue avec le patron est plutôt orageuse. Je crois comprendre que la petite histoire qu'il a racontée aux Américains pour les tenir en dehors du coup ne les a pas satisfaits car il exige d'avoir les documents que transportait Racine dans les vingt-quatre heures. Il avoue crûment qu'il se moque de nos méthodes de travail et du stade où l'enquête en est rendue. Il précise également, le plus simplement du monde, que si les documents ne sont pas dans son bureau demain soir, il y aura une purge très sérieuse dans ses services et que les victimes auront beaucoup de difficultés à se trouver du boulot ailleurs, à moins d'envisager une carrière de livreur de pizzas, compte tenu que c'est le seul secteur qu'il ne peut influencer.

À cela, il ajoute que la Lloyd's, maintenant au courant de toute l'histoire, a commencé à exercer des pressions auprès de certains politiciens et ça s'ébruite. Au moins, dit-il, « les gens de la Lloyd's sont restés discrets sur l'essentiel. »

— Et vous savez, Saint-Ours, j'ai mis tout le réseau de surveillance en alerte. Ça bouge drôlement dans le milieu diplomatique à Montréal ! Les consulats russe, cubain et américain n'ont jamais été aussi actifs ! À croire qu'ils sont sur un pied de guerre ! Sans parler des Français. Je ne sais pas ce qu'ils viennent foutre dans cette histoire mais eux aussi ont commencé à réagir. La nouvelle parue dans les journaux a créé un remue-ménage épouvantable. En passant, comment se fait-il que vous n'ayez pu empêcher la publication des identités ? demande-t-il sèchement.

— C'est Longtin qui a coulé les informations, dis-je en toussotant.

Le patron reste un instant songeur puis, de sa voix glaciale, il précise de nouveau que les résultats de notre enquête doivent être rapides.

— Saint-Ours, écoutez-moi bien : demain soir, l'enquête doit être finie, crache-t-il entre ses dents. Dites-vous bien que vous avez une obligation de résultat, vous et vos hommes. Maintenant, foutez-moi le camp et mettez-vous au travail.

Je ne dois pas avoir l'air très en forme en sortant puisque la secrétaire me regarde d'un air effaré et n'ose faire aucune allusion fine ni aucune grimace de mécontentement à ma vue, ce qui est très surprenant de sa part.

Bouboule et Gerbier interrompent leurs histoires de fesses en me voyant arriver.

— Venez, on va boire un coup. J'en ai un urgent besoin et vous en aurez un aussi quand je vous aurai raconté ce qui se passe.

Le bistro en face du bureau est un véritable trou dans lequel le propriétaire, un vieux voyou qui a toujours une barbe de deux jours, à croire qu'il règle son rasoir exprès, nous garde toujours une bouteille de whisky convenable. Avant que nos locaux soient situés devant sa piaule, je crois qu'il devait vendre de l'alcool frelaté. Maintenant qu'on élève le standing de sa boîte, il se permet d'acheter son alcool au monopole d'État. Ça fait certainement chuter ses profits mais c'est plus sûr pour les clients.

D'habitude, quand on entre, il nous engueule sous prétexte qu'on fait fuir son honorable clientèle. Aujourd'hui, il semble avoir compris qu'il valait mieux ne pas pousser ses farces plates sur les flics et la mauvaise réputation qu'on fait à son chic établissement.

Il se contente simplement de nous servir un petit Chivas sur glace et s'éloigne. Sans dire un mot. Moi aussi, je reste silencieux. Pendant une trentaine de secondes, je fais tournoyer la glace dans mon verre pour le refroidir et, finalement, j'avale une gorgée de whisky, question de me décider à raconter à mes compagnons pourquoi je fais une gueule semblable. Eux, depuis qu'on a quitté le poulailler, ils n'ont pas dit un mot, comprenant que je me marche sur le moral.

— Je pense qu'un « joint » me ferait du bien, balançai-je.

Le gros et Gerbier sont surpris de ma remarque. Normalement, je ne manifeste jamais l'envie de fumer cette cochonnerie. Je n'en fume d'ailleurs plus depuis que j'ai quitté les « stup ». Mais à l'époque, quand je jouais mon rôle d'agent double, il fallait bien que je consomme. Honnêtement, je dois avouer que je ne détestais pas toujours ça, surtout le haschich que je trouvais très euphorisant.

C'est le gros qui aborde le sujet le premier.

— Faut vraiment que ça aille mal, Max, pour que tu demandes un joint… Si tu nous disais ce qui se passe ? Si j'ai bien compris, au bureau, ça avait l'air de nous concerner aussi.

— Ça fait combien de temps, ma grosse poule, que tu es dans le service ?

— Une bonne vingtaine d'années, répond-il en fronçant les sourcils.

— Alors il te reste vingt-quatre heures pour espérer avoir droit un jour à ta pension pleine et entière.

Pas besoin d'expliquer plus longtemps. Tout

en examinant le fond embrouillé de son verre, Claude traduit ma pensée à voix haute.

— Le problème, c'est que personne ne sait où sont les documents. Ils les cherchent autant que nous…

Voilà tout le hic. Si on se doutait que ces morveux ont les papiers, on ferait tout pour retrouver la fille. On pourrait mettre toute la maréchaussée aux trousses des deux tueurs, Blanchet et Lemay, tabasser les stools pour leur forcer les souvenirs et espérer boucler tout cela dans les vingt-quatre heures. Sauf que ceux qu'on cherche ne possèdent pas ce qu'il nous faut. Et dans ces circonstances, maintenant qu'on a la bonne femme sous surveillance, il vaut mieux les laisser aller, en espérant qu'ils mettent la main sur les papiers au plus vite. Après, on aura juste à les ramasser. Quant aux tueurs, pas le choix, faut les laisser courir pour l'instant. En fin de compte, pour nous, c'est du menu fretin. Ils ont déjà les homicides et quelques autres flics au cul.

— On dirait que la nuit va être courte, murmure Bouboule.

Je lui jette un œil intéressé et une idée amusante germe en moi.

— Ça te tente d'aller au spectacle, ce soir?

Il me dévisage comme si j'étais complètement fou. Une goutte de whisky dévale son menton et va se perdre dans son col de chemise. Ses yeux noirs m'interrogent.

— Ben oui, dis-je, ce n'est pas parce que tu es à vingt-quatre heures de la fin de ta carrière qu'il faut t'empêcher de t'amuser!

Gerbier m'examine également d'un œil soupçonneux. Il me désigne du nez et dit: «le choc».

J'éclate de rire. Même dans les moments catastrophiques de l'existence, il y a toujours matière à rigolade. Tout le monde le sait mais on en rit généralement des années plus tard, une fois que le choc, l'agression a été bien assimilée.

— Non, je ne suis pas fou mais Bouboule a la tête qu'il faut: amoché comme il l'est, il fera très couleur locale. Bouboule, tu vas te rendre au Lion d'Argent, le bar de Vanelli. Tu amènes avec toi quelques soldats habillés comme l'endroit l'exige. Dis-leur de se munir à fond et de s'attendre à ce qu'il y ait des bosses. On va essayer de faire sortir notre tueur de son trou. Il faut que tu nous le ramènes vivant. Claude et moi, on est trop connus de Vanelli pour penser à faire ce travail. Je te signale que vous vous dispersez tous dans la salle et je veux que tous les hommes puissent reconnaître le dénommé Harvey sans aucune hésitation.

Ma petite envolée oratoire n'a pas détendu l'atmosphère, c'est facile à constater. Mes deux bonshommes me scrutent de près, comme si j'étais complètement saoul.

Gerbier déchire le silence.

— Et comment tu veux t'y prendre pour faire sortir le tueur de son trou ?

— Comment ? Très simplement… On va piquer la fille !

— Et ça nous avance à quoi, qu'il rétorque. Ils n'ont pas les documents et si j'ai bien compris ta petite histoire, ce sont les papiers que le boss veut. Le reste, il s'en fout. Il s'en fout tellement d'ailleurs qu'on pourrait jeter Harvey, la fille et tout le reste au fleuve que ça ne le dérangerait même pas.

— Tout à fait d'accord mon Claude. Mais, écoute… Le petit groupe après lequel on court depuis deux jours a réussi à mettre la main sur tout ce qui appartenait aux morts. S'ils continuent à rester en ville, c'est parce qu'ils n'ont pas les documents mais ils ont leur petite idée de l'endroit où ils pourraient se trouver. En les prenant vivants, on pourra leur faire dire, enfin j'espère, où ils croient que sont cachés ces maudits papiers. N'oublie surtout pas que Racine était un ancien des spéciaux US. Il connaissait le tabac et, en conséquence, il a pris ses précautions. Les gens qui le traquaient en connaissent aussi long que lui sur la question et, pourtant, ils ne sont pas encore au bout de leurs peines.

— Et alors ? jette le gros.

— Et alors ? Première chose, on passe à l'écoute téléphonique, voir ce qui arrive et si elle a reçu un coup de fil. C'est certain qu'avec les cellulaires on a moins de chances qu'avant mais quand même. Si elle a reçu un appel, un seul, il y a de fortes chances qu'il provienne du tueur. N'oublions pas que jusqu'à preuve du contraire, cette fille est étrangère et elle ne connaît personne dans notre village. Ensuite, on peut avancer qu'un de ses principaux contacts est le type aux cheveux gris… Ils sont tous les deux pressés d'en finir et s'il ne se passe rien dans les prochaines heures, j'ai la conviction qu'ils communiqueront entre eux pour se concerter. De toute façon, on n'a pas le choix :

il faut brusquer les choses ! Et pour une fois qu'on a l'avantage, on va en profiter. On pique la fille, on attend dans sa chambre un éventuel appel et on la force à donner rendez-vous au tueur à l'endroit le plus plausible : chez Vanelli.

— Pourquoi Vanelli ? demande Bouboule.

— Parce que, s'ils sont en contact comme je le crois, la petite sait très bien que son copain est à la recherche de nouveaux sbires. Elle sait donc qu'il devra contacter Vanelli puisqu'on a retiré Karamanlis de la circulation. S'ils ont quelque chose à se dire, le Lion d'Argent vaut bien un autre endroit. Après tout, ils savent qu'ils ne peuvent rencontrer que quelques narcs dans la place ou une couple de petits bums qui rouleront des épaules pour tenter de se montrer importants, ce qui ne doit pas déranger beaucoup le monsieur aux cheveux argent.

Claude m'observe silencieusement. À première vue, mon plan ne semble pas lui déplaire mais il y a quelque chose qui paraît le fatiguer.

— Max, dit-il, tu oublies une chose importante : Vanelli nous a dit lui-même qu'il n'avait jamais vu la fille et sur ce point, je crois qu'il était sincère. Il n'y a donc aucune raison de penser qu'elle connaît l'endroit.

L'argument est pesant.

— Et puis, poursuit-il, pourquoi est-ce qu'on ne piquerait pas simplement la fille pour tenter de lui faire cracher le morceau ?

Dans le fond, cette solution aurait du sens. Mais d'un autre côté, elle permettrait à l'autre, Harvey, de continuer la recherche des documents et, peut-être, de nous doubler. Je fais part de ces sombres pensées à mes deux collaborateurs. Cependant, je dois avouer que mon idée ne les enthousiasme pas.

Le silence se rétablit entre nous. J'entends les rouages encéphaliques du gros se remettre en branle après dix ans d'immobilisme. Gerbier ne bronche pas. Il examine son verre, vide, ce qui me rappelle d'engueuler le patron parce qu'il nous laisse crever de soif.

Finalement, il nous apporte la même chose.

— Bon, allons-y, souffle Claude. Je crois qu'on n'a pas le choix, compte tenu de la situation. On avale ça et on passe à l'action.

Puis il se met à sourire en frottant la bosse qui orne sa tempe.

— Ça ne me fera pas de mal de la revoir, celle-là. Mais je te jure que cette fois-ci elle ne m'accueillera pas à coups de savates.

Moi aussi, j'ai un derrière de crâne qui la rappelle à mes bons souvenirs. Je crois qu'elle ferait bien mieux de se tenir tranquille pendant qu'elle sera avec nous. Après tout, on ne peut pas en vouloir à des hommes d'avoir un sentiment de ce genre, surtout après deux tentatives d'assassinat en quelques heures. Ça fait toujours perdre un peu d'humanité, ces trucs-là.

On aspire le fond de nos verres et on se pousse. Le patron, à qui notre bonne humeur a rendu sa grossièreté, nous signale que notre note commence à être aussi imposante qu'un Boeing. On rappelle à ce vieux voyou qu'il se tape régulièrement les putes de la Main et on lui demande si sa dame serait éventuellement intéressée par un tel renseignement. La question le fait taire l'espace d'une seconde, après quoi il se met à vociférer que les flics sont tous des ordures, qu'ils n'ont aucune leçon à recevoir des truands et qu'en fait, ils seraient parfaitement capables d'en donner. On le laisse brailler et on se tire. Le respect se perd, on dirait.

* * *

Le gros n'était pas vraiment enchanté d'aller passer la soirée au Lion d'Argent. Il n'a pu ramasser que des jeunes pour l'accompagner et il n'y aura donc personne de son âge pour lui faire la conversation et parler de son sujet favori : la bouffe. Avec ça qu'il doit escamoter un repas, ce qui ne l'emballe pas non plus. Mais la perspective de ne pas atteindre la pension a eu raison de sa mauvaise humeur et il s'est même permis d'avertir sa dame qu'il ne rentrerait pas coucher. Depuis le temps qu'il découche, c'est encore étonnant qu'il prévienne. Ça assure une continuité matrimoniale agréable, assure-t-il.

Enfin, c'est son affaire. Il y a des types comme ça, qui aiment la vie de famille, la petite vie rangée, à l'abri des soucis, avec les morveux, les termes, les impôts, les flics, la loi, la télévision. Il en faut. Mais je ne sais pas pourquoi nombre d'entre eux viennent se foutre dans des situations qui demandent à un homme n'importe quoi, sauf une vie rangée. Et, curieusement, il y en a plus qu'on ne le croit généralement de ces gens-là.

Bouboule, par exemple, aurait dû être fonctionnaire, ce qu'il est de toute façon, mais fonctionnaire dans un service administratif où on commence le matin à neuf heures par un petit café et où on finit à cinq heures par un dernier café au bureau. Les aléas de la vie ont voulu qu'il vienne se placer dans une situation contraire à sa nature. Il est là à distribuer des coups, à en recevoir, sans haïr, sans aimer, par pur professionnalisme. Il lui faut fréquemment découcher et, chaque fois, on voit bien que c'est une douleur pour lui. Sans compter le nombre de fois où il doit se passer de ces petites bavettes dont il raffole ce qui, j'en ai l'impression, est la plus grande tristesse de sa vie.

Mais enfin, on a tous nos ennuis et pour la majorité des ours, le drame est similaire : très peu pratiquent ce qu'ils auraient aimé faire. C'est la vie ! C'est con ce cliché mais c'est tout de même ça.

Gerbier et moi on a décidé de prendre une seule bagnole pour aller chercher notre kick-boxeuse. On est tous les deux prêts à lui secouer les puces si jamais elle se met en colère.

Claude conduit doucement. Il a retrouvé cette attitude froide et détachée qu'il adopte toujours quand il se prépare à passer à l'action. Ça m'inquiète toujours un peu et c'est pourquoi je lui dis de ne se servir de son arme qu'à la toute dernière limite. Sans dire un mot, il acquiesce en hochant de la tête.

On emprunte René-Lévesque et on passe

devant le Complexe Desjardins où tous nos déboires ont commencé. On remonte comme ça jusqu'à ce qu'on voit la Place Ville-Marie et on décide de tourner à gauche, même si c'est interdit. Un motard en nous voyant agir ainsi décide d'intervenir mais il se ravise en observant la voiture. Comme je le disais, nos bagnoles sont tellement banalisées que tout le monde les reconnaît. Ce serait une voiture de patrouille que le résultat serait le même. On passe sous le tunnel de la Place Bonaventure et on tourne à droite pour gagner les garages souterrains.

On descend ainsi quatre étages, lentement, en cherchant un endroit de stationnement. Derrière nous, une autre voiture roule tout aussi lentement, nous klaxonnant quand Claude prend une courbe à une allure de tortue. De temps à autre, j'y jette un coup d'œil. Depuis la nuit dernière, je suis plutôt nerveux. Ce n'est pas tous les jours que des types essaient à deux reprises de vous coucher.

— Cette bagnole est derrière nous depuis qu'on a quitté le poulailler, dit Claude doucement.

J'observe la voiture plus attentivement.

— Il n'y a qu'une seule personne, dis-je. Ça

ne peut pas être très grave. C'est sûrement un hasard. Si on nous cherchait des poux, on n'aurait pas envoyé un seul homme.

Claude fixe obstinément son rétroviseur. Après un examen qu'il doit juger satisfaisant, il s'écrase de nouveau dans son siège et soupire.

— Je me suis trompé. Ce n'est pas la même voiture. Celle que j'avais remarquée avait deux passagers. C'est le même modèle, c'est tout, termine-t-il en renfonçant son .45 dans son holster.

Effectivement, la bagnole nous dépasse une fois qu'on a trouvé un emplacement où se garer et elle poursuit sa route vers un autre étage du garage. Nous, on gagne les ascenseurs.

À l'étage, Lemieux est installé dans le salon central, surveillant ainsi tout l'accès aux ascenseurs.

Ça me met tout de suite de mauvaise humeur.

— Tu n'aurais pas pu trouver quelque chose de plus voyant, lui dis-je en quittant l'ascenseur.

Il hausse les épaules. C'est un cérébral, ce gars-là. Il faut plus qu'une mauvaise humeur pour l'impressionner. Surtout qu'on est du même grade et qu'il a la réputation de bien faire son travail.

— Écrase, Max, répond-il. Il n'y a pas d'autre position possible. Il aurait fallu être dix si on avait voulu surveiller toutes les entrées. Le seul endroit où tout le monde doit passer, c'est ici. Et il y a tellement de circulation que c'est un miracle si je me fais repérer. J'ai aussi des gars à la sortie du garage.

— Elle est toujours là ?

Il hoche la tête.

— Bon. Parfait ! fait Gerbier en ouvrant sa veste. On va lui rendre visite.

Lemieux me lance un regard interrogateur. Vaut mieux lui répondre.

— On va piquer la fille. Je dois finir cette affaire pour demain, sinon c'est ma tête qui y passe. Tu peux venir ou ne pas t'en mêler, c'est comme tu veux. Tu as des nouvelles du service d'écoute ?

— Rien de neuf. Bon… Moi, je vais prendre l'air. Tu n'as pas besoin de moi. Deux costauds comme vous autres, ça devrait suffire, termine-t-il en souriant.

Il fallait s'y attendre. Notre match de boxe avec la poupée a fait la joie du service. Dans le fond, je suis plus gêné que fâché. D'un coup de tête, je fais signe à Lemieux de faire de l'air, ce qu'il exécute sans discussion en nous précisant avant de partir le numéro de la chambre de la demoiselle. Il nous remet une carte magnétique en m'expliquant qu'elle ouvre la porte de la chambre. Toujours selon Lemieux, elle est seule, ce qui nous facilitera les choses. Cette fois-ci, pas question de se laisser prendre comme la première fois.

— Claude, je vais entrer mais reste loin derrière moi. S'il m'arrive des problèmes comme au Hyatt, assaisonne-la. Vise les cuisses. Et puis, change d'arme. Une balle de .45, même dans une jambe, ça peut être mortel. Il ne faudrait pas qu'on ait à se débarrasser d'un cadavre, en plus.

Sans dire un mot, Gerbier a rengainé le matériel lourd pour prendre son arsenal fillette. Une balle de .22, ça donne des crampes mais on peut s'en sortir.

Arrivé devant la porte, je fais glisser la carte dans la fente magnétique en tournant doucement la poignée. Aucune résistance. Je pousse légèrement la porte pour entendre un robinet qui coule. Claude est planqué à ma droite, le long du mur.

L'entrée de la chambre ne me permet pas de voir la pièce au complet mais vraisemblablement, la dame prend une douche. J'avance un peu, le revolver en main.

Dans le fond de la chambre, il y a un type aux cheveux tombant sur les épaules qui me sourit béatement en me voyant avancer. Il tient dans les mains une M.15 et j'ai l'impression pendant une seconde qu'il ne se rend pas compte de ma présence.

D'instinct, je me plaque au mur qui me cache à son regard. Il n'a toujours pas bougé. Cependant, mon geste brusque m'a permis de voir Gerbier dans l'embrasure de la porte.

— Laisse tomber, Max, dit-il en agitant son pouce vers l'arrière.

Derrière lui, un grand type dont je ne vois que la tête me regarde intensément. Je viens tout juste de reconnaître les types à qui on a affaire : Blanchet et Lemay.

Les yeux de Claude me disent d'ouvrir le feu. À cette distance, chose certaine, je ne peux manquer Blanchet qui me sourit toujours de sa chaise. Gerbier, de son côté, en reculant brusquement, peut me donner suffisamment de temps pour que je puisse retourner mon arme contre son agresseur.

— Pas de ça, Saint-Ours. Ce serait très mauvais pour votre santé.

Je suis obligé de modifier la direction de mon regard. D'une porte placée en plein milieu de la chambre, une jeune femme, justement la dame Goldsberg, me murmure fermement ces paroles. Pour appuyer son propos, elle tient à la main un vulgaire 9 mm, un truc qui fait des trous gros comme ça.

— Vous vous spécialisez dans le désarmement individuel, vous. Un jour, il faudra qu'on tienne une conférence bilatérale, pour faire plus sérieux.

Elle hausse les épaules.

— En attendant votre conférence, lâchez votre jouet.

Je m'exécute. Gerbier reçoit une poussée qui me force à avancer autant que lui. Derrière nous, la porte se referme pendant qu'on se retrouve au milieu de la pièce. Je comprends que c'est grâce à la chambre communicante qu'ils ont réussi à nous tourner. Claude doit aussi avoir les mêmes pensées puisqu'il me dit, en chuchotant :

— Il n'y avait aucune info sur une double location.

Intérieurement, je me dis que cette fille n'a pas dû réserver les deux chambres. Elle a dû ordonner aux deux truands de louer cette chambre un peu avant ou un peu après qu'elle ait loué la sienne. Si c'est le cas, elle n'avait qu'à exiger, à la réception, la chambre qu'elle voulait.

Blanchet nous palpe scientifiquement, en n'évitant aucun recoin, sous l'œil enjoué de son petit camarade. Sur moi, il ne trouve rien qui lui semble suspect mais un sourire aux dents tachées apparaît sur son visage quand il met la main sur le .45 de Claude. Il donne un petit coup de tête appréciateur à l'adresse de Claude en introduisant l'arme dans sa ceinture.

— Asseyez-vous, nous dit Annette Goldsberg en nous désignant le plancher.

— On ne pourrait pas s'asseoir sur le lit, demandai-je. On serait mieux, vous et moi, pour discuter.

Rien à faire, cette fille me plaît. J'ai beau avoir derrière le crâne une bosse qui me rappelle douloureusement ses sentiments à mon égard, je ne parviens pas à faire autrement qu'à la trouver belle. Elle a des yeux mauves, légèrement en amande, encadrés de longs cils qui en assombrissent la couleur, avec un nez très droit et des lèvres pulpeuses qui laissent songeur quant aux applications possibles.

— La discussion sera très courte, Saint-Ours, laisse-t-elle tomber. Car c'est bien votre nom, n'est-ce pas ?

Un sourire à peine déguisé apparaît sur la figure de Claude.

— Vous devez bien le savoir puisque vous avez nos insignes.

Comme si elle le voyait pour la première fois, notre diablesse l'examine d'un œil dédaigneux. Elle ne condescend même pas à répondre. De nouveau, elle se tourne vers moi.

— Je vous ai dit, Saint-Ours, que la discussion serait très courte. J'ai l'intention de vous laisser aux mains de ces messieurs, termine-t-elle en désignant du menton Lemay et Blanchet qui, même s'ils n'ont toujours pas dit un mot, n'ont pas perdu un seul de nos gestes.

Claude penche la tête pour mieux me voir.

— Content de t'avoir connu, Max.

Lemay et Blanchet vibrent d'un petit rire. Ils vont pouvoir se payer du bœuf en toute tranquillité.

CHAPITRE 10

La traversée des garages s'est faite sans encombre. Notre hôtesse ouvrait la marche et ses deux sbires nous suivaient à distance respectueuse, question d'éviter qu'on fasse les cons. J'ai les lèvres éclatées pour avoir tenté de vérifier le professionnalisme des messieurs.

Je m'étais dit qu'en brassant la cage dans l'hôtel, le remue-ménage serait suffisant pour attirer l'attention. La sécurité de l'hôtel entrerait en action et je savais que parmi eux, surtout dans ce genre d'établissement, il y a des gens sérieux.

Lemay me suivait dans le corridor en me pointant le canon du revolver dans le dos, ce que je trouvais particulièrement curieux pour un gars de sa trempe. Comme on était les derniers, j'ai joué le tout pour le tout en me retournant vivement pour tenter de faucher son arme. J'espérais que Claude profite de l'occasion et de la surprise de Blanchet pour aussi tenter quelque chose. Hélas, mon gars connaissait son boulot et je n'ai attrapé qu'une main armée d'un bout de tuyau. Un sourire est apparu dans sa figure quand j'ai constaté que son arme était dans son autre main. Après, il s'est fait un petit plaisir en me foutant la crosse de son arme en pleine bouche.

On ne peut pas gagner à tous les coups.

Notre petit groupe arrive à une Cadillac. Annette manipule un porte-clés électronique et le coffre s'ouvre automatiquement. On nous fait signe de nous installer.

Le voyage semble épouvantablement long, principalement à cause de la chaleur et du manque d'oxygène. Nous nous sommes abstenus de parler pour ne pas nous épuiser inutilement. La voiture ralentit et s'arrête finalement. Le soleil de fin d'après-midi nous aveugle terriblement et c'est à grands coups aux épaules qu'on nous indique le chemin.

Vraisemblablement, nous sommes à la campagne. Le style de la maison en lui-même ainsi que l'odeur qui règne aux alentours sont très indicateurs. Impossible de savoir si on est au sud ou au nord de Montréal mais, chose certaine, nous sommes dans un lieu complètement isolé.

On nous indique une trappe en nous ordonnant de la soulever et de descendre à la cave. Nous sommes en effet à la campagne. Comme beaucoup d'anciennes maisons, la cave est très basse et ne possède aucune fenêtre.

— Tout nus ! lance Annette.

— Personnellement, je veux bien, mais vous ne croyez pas que l'endroit est mal choisi ?

Pas très sensible à la plaisanterie, Annette.

— Vous pouvez garder vos caleçons, si vous voulez. Vos attributs m'intéressent très peu, complète-t-elle de façon vexatoire.

Nous nous exécutons juste avant que Lemay nous claque la trappe sur la tête.

— Ça pue !

Je peux difficilement prétendre le contraire. Mais je n'ai pas envie de parler. On passe une dizaine de minutes comme ça, en silence.

— Max, combien de temps ?

Ça me chiffonne cette question. Parce que cette poule ne nous a pas foutus à poil pour rien. Si elle pense que c'est un moyen supplémentaire de nous empêcher de sacrer le camp, elle se trompe lourdement. Dans des circonstances semblables, je suis prêt à courir l'équivalent du marathon de Montréal en exposant généreusement et bravement ma personne.

— Pas longtemps, chose certaine. Ils ont déjà essayé de me liquider deux fois et ça m'étonne qu'ils n'en aient pas encore profité. Ils attendent peut-être juste le bon moment.

— Non, Max, c'est autre chose. Je ne sais pas pourquoi mais la nuit dernière, tu étais vraiment encombrant pour eux et maintenant, ils te gardent vivant. Quelque chose ne fonctionne pas. S'ils avaient voulu t'abattre à n'importe quel prix, tu serais mort depuis longtemps… Je pense que la fille a besoin de quelque chose.

Je ne sais pas quoi répondre. Moi aussi, ça me fatigue d'être obligé d'attendre. C'est un peu stressant d'être pris dans un trou quand on sait qu'on n'en sortira que pour aller dans un autre trou. Je soupire.

— Oh ! Ta gueule, chuchote Gerbier. Si tu penses que tu es le premier à qui ça arrive.

Le silence s'installe de nouveau.

— Tu sais, ce qui me fait le plus de peine, détonne Claude, c'est que je n'aurai jamais eu le temps de connaître ma copine convenablement. On s'entendait bien, tous les deux. En tout cas, au cours des deux ou trois baisouillages qu'on s'est permis, tout allait pour le mieux. Il y avait une communication, là.

J'imagine qu'il désigne un endroit de sa personne mais je ne peux rien voir. Il poursuit.

— Tu vois, ça m'était jamais passé par la tête de faire des petits et maintenant, j'en ai envie. Remarque, aujourd'hui, c'est une chance que je n'en aie pas mais je ne sais pas pourquoi, ça me consolerait presque de partir en me disant que j'ai laissé quelque chose ici-bas… Une espèce de continuité, tu vois ? Un genre de morceau d'éternité, si tu comprends ce que je veux dire. Ma femme aurait touché mon assurance-groupe, mon assurance-vie, etc. Tu crois qu'ils lui auraient versé ma pension ?

Personnellement, les questions d'assurances, pour l'instant, je m'en tamponne comme jamais.

— Claude… Tu veux arrêter de te regarder le nombril et de pleurer sur ton sort ? Cherche plutôt un moyen de nous sortir d'ici. Si on trouve, tu pourras faire autant de petits que tu voudras et tu te préoccuperas de leur avenir, le jour où tu en auras une douzaine. En attendant, on va s'occuper du nôtre.

— Tant que tu veux. Je ne m'apitoie pas sur mon sort, je suis réaliste. Blanchet et Lemay n'hésiteront pas une seconde à nous descendre. D'ailleurs, ça doit les démanger… Tiens, ça me fait remarquer…

— Quoi ?

— On n'entend plus rien en haut.

Je prête l'oreille. En effet, on n'entend plus rien. Pas de bruits de pas, pas de radio, pas de robinet. Rien.

— On fait le tour de la cave pour voir s'il n'y a pas quelque chose pour nous aider à démolir cette maudite trappe.

À quatre pattes, on entreprend l'exploration de la cave. Comme on ne voit rien, c'est plutôt difficile. Nos mains tâtent devant nous, dans l'espoir de dénicher quelque chose. J'entends Claude souffler à l'autre bout de la pièce obscure. Il fait tellement noir que même en écarquillant les yeux pour tenter de voir un objet, c'est impossible. C'est ainsi qu'on en arrive à faire un face à face. Le choc n'est pas tellement violent mais assez surprenant. On se rassoit côte à côte.

— Tout ce que j'ai trouvé, dit Claude, c'est un bout de madrier. C'est pas avec ça qu'on va pouvoir briser les charnières ou défoncer la trappe.

— Fait rien. On va essayer…

Je dis ça sans conviction. Quand on nous a fait descendre dans cette cave, on a pu voir comment cette baraque était bâtie. Comme beaucoup de vieilles maisons, le plancher est constitué de grosses planches très épaisses recouvertes de lattes de bois franc clouées à contre-sens.

— En tout cas, marmonnai-je, on saura vite s'ils sont toujours dans la maison.

Claude revient en trottinant à trois pattes. Je ne le vois pas mais je l'imagine. Le plus gros problème, c'est qu'il nous faudra travailler accroupis, ce qui nous fait perdre encore plus de puissance. Le bout de bois me heurte douloureusement les genoux. Je balance un juron tout à fait catholique et je me dirige vers la trappe. De la main, je tâte le plancher pour savoir si je suis bien à l'endroit désiré.

M'étant assuré de la chose, j'empoigne mon bout de madrier par une extrémité et je l'expédie de toute la force dont je suis capable contre la trappe. Je reçois un choc formidable dans les bras mais elle a à peine bougé. Je recommence ainsi, sans résultat, jusqu'à ce que, à bout de souffle, je décide d'abandonner. Un petit rire sarcastique me parvient. Gerbier. Je lui foutrais bien le madrier quelque part.

Il rit de plus belle.

— Max, tu te fatigues pour rien. Nos grands-pères savaient bâtir des maisons, eux. Rien à voir avec les maisons de carton qu'on a aujourd'hui. En tout cas, tu as réussi à savoir ce que tu voulais ; ils ne sont pas là. Sinon, ils seraient vite venus te calmer les nerfs.

Sur ces belles paroles, la trappe s'ouvre. La lumière de l'extérieur nous aveugle totalement et on doit avoir l'air de deux taupes fraîchement sorties de leur trou. Donc, ils étaient bien là…

— Qu'est-ce que vous faites là, vous deux ?

La voix qui dit ces paroles est joyeuse. Mes yeux s'habituent doucement à la lumière, ce qui me permet d'abandonner mon allure de myope à la recherche de ses verres, pour distinguer le visage familier de Lemieux dans l'encadrement lumineux. Il a un sourire qui en dit long sur l'opinion qu'il a de nous, en ce moment.

— On sort de là, la maison est vide, de nous dire Lemieux.

Je suis tellement ébahi par sa présence que je ne pense même pas à lui demander de quitter son petit air suffisant et sarcastique quand il nous raconte comment il s'est retrouvé ici.

Au moment où il s'apprêtait à quitter le garage de l'hôtel, il nous a vus passer en compagnie de Goldsberg et des deux tueurs. Comme il connaissait nos intentions, il a tout de suite compris que quelque chose ne tournait pas rond et il a décidé de nous suivre.

— Heureusement que c'étaient des truands. S'il avait fallu que ce soit des pros, ils se seraient vite rendu compte de la filature, surtout à partir du moment où on a quitté l'autoroute pour prendre le rang. D'ailleurs, j'ai eu un peu de difficulté à repérer la maison mais comme il n'y a pas grand monde qui se promène en Cadillac dans les environs… Quand même… En visitant la maison, j'ai bien cru que je m'étais trompé et je me préparais à appeler les homicides pour leur dire que Lemay et Blanchet étaient dans les environs quand vous avez commencé à faire du vacarme. C'est bien Blanchet et Lemay que j'ai vus ?

— Oui, oui, c'est eux.

Le regard de Lemieux nous détaille de haut en bas. Pour un peu, je me sentirais comme une timide jeune fille qui se fait examiner pour la première fois par un playboy de réputation internationale. Un sourire éclaire de nouveau son visage.

— Il y a des guenilles, en haut. Vous serez plus présentables.

Dans une commode, on trouve ce qu'il nous faut. Personnellement, je suis gêné aux entournures et Claude, lui, flotte dans ses vêtements. Les bottes que j'enfile sont trop grandes mais pour Claude, ça semble aller.

— Tu as de l'artillerie ? je demande à mon collègue.

— Oui, mais du matériel lourd seulement. Un .12 à pompe et une M-16. J'ai aussi mon revolver.

Évidemment, si on veut faire du gros caca, c'est parfait. Dans le cas des deux jeunes hommes avec qui Gerbier et moi nous sommes liés d'amitié aujourd'hui, ça convient parfaitement. Le seul problème, c'est la fille. Je ne veux absolument pas la toucher. Cette greluche, j'y tiens comme à la prunelle de mes yeux.

— OK. Tu me refiles le M-16, tu donnes ton revolver à Claude et tu te postes à l'extérieur avec le .12 pour empêcher toute fuite. Si éventuellement c'est la fille qui tente de se pousser, décharge ton arme sur la bagnole, pas sur elle.

Si elle tente de se sauver à pied, tu laisseras le travail à Claude.

Lemieux jette un œil pensif sur Gerbier. Lui aussi est parfaitement au courant de la dextérité de notre petit camarade. Ça fait peut-être des envieux mais ça fout aussi la trouille, un type aussi précis et capable d'abattre n'importe qui sans même perdre l'appétit.

Il lui tend un .38 à canon court. Gerbier grimace en manipulant l'arme.

— J'espère juste qu'elle ne court pas trop vite. Avec une cochonnerie comme celle-là, un bon sprinter, à dix mètres, a toutes les chances du monde. Enfin termine-t-il en exhalant un soupir, on fera avec ce qu'on a.

Lemieux hausse les épaules, vexé. Pour lui, une arme est une arme, un point c'est tout. Il tourne les talons pour aller chercher le reste du matériel. Sa voiture est cachée assez loin puisque je le vois disparaître. Il revient cinq minutes plus tard, les mains pleines.

— Tiens, la M-16. Je t'ai apporté un chargeur supplémentaire. Moi, je me planque tout de suite. On ne sait pas ce qu'ils font et ils peuvent revenir d'une minute à l'autre.

Sitôt Lemieux reparti, je fais un signe à

Claude. Pas de quartier. Il n'y aura que la fille qui s'en sortira, à condition qu'elle ne joue pas aux héroïnes. Il y a des jours comme ceux-là, dans la vie, où il faut prendre des décisions. En ce qui nous concerne, il n'y a plus aucun risque à prendre. Et puis, ça évitera à nos petits copains des autres services d'appliquer leur «fix». Aussi bien que ça soit nous. Ça s'arrangera plus facilement.

Le rez-de-chaussée de la demeure ne comporte que trois pièces, très grandes. Le salon occupe la moitié de la maison et l'autre moitié est également divisée en deux par la cuisine et la salle à manger. Comme l'entrée offre une large vue sur le salon et la salle à manger, Claude devra se cacher dans le petit couloir reliant la cuisine au salon. Quant à moi, je resterai dans la cuisine. Je n'ai guère que trois mètres à faire pour rejoindre la porte et la fille ne pourra pas se sauver puisque nous avons décidé de les laisser s'installer avant de les saupoudrer. Ma seule crainte, c'est qu'elle veuille nous parler aussitôt arrivée. Dans ce cas, il faut qu'elle gagne la cuisine directement. Si ça arrive, je n'aurai aucun choix: je devrai tirer dans le tas. Je me dis que, jouissant de l'effet de surprise, j'aurai peut-être le temps de diriger mes tirs et ainsi tenter de sauver ma boxeuse.

On attend comme ça pendant une heure. Passé ce temps, la Cadillac s'annonce. Claude jette un œil par la fenêtre à laquelle il a accès, de loin.

— Elle n'est pas là. Il n'y a que les deux ordures.

— Règle le compte à l'un des deux et blesse l'autre. Je veux savoir où elle est.

— Alors c'est Blanchet qui va y passer. Lui, c'est un dur, on n'en tirera rien. Lemay est plus facile à manier. Je ne me rappelle plus s'il tire de la gauche ou de la droite, murmure Claude, comme si les deux autres pouvaient déjà nous entendre.

Les deux cibles se pointent sur le balcon. L'atmosphère, d'après ce que je peux constater, est à la détente puisqu'ils discutent et rigolent. Une clé s'introduit dans la serrure. Claude est d'un calme étrange et, personnellement, j'entends mes tempes battre à tout rompre. J'ai le net sentiment de faire un tapage terrible. Mais le silence doit être complet puisque Lemay et Blanchet entrent sans méfiance.

Gerbier me fixe intensément. D'un battement de cils, je lui ordonne de passer à l'action. Les deux hommes sont dans le salon à s'allumer des cigarettes.

Claude sort de sa cachette, lève le bras et une détonation sourde retentit dans la maison pendant qu'une odeur de poudre se répand. Lemay réagit vivement et tente de s'emparer de son arme pendant que son compagnon s'écroule. Une autre détonation survient et une plainte subite monte du salon pendant que Claude se jette rapidement en arrière tout en tirant de nouveau.

Une deuxième plainte vient vers nous. Gerbier risque un œil.

— Lâche ça, dit-il, sinon je t'en place une autre entre les deux yeux. Comme à Blanchet.

Je me rapproche, la M-16 parée. Dans le salon, Lemay est toujours debout, tenant dans les mains un revolver qui aurait fait les délices de Dillinger, regardant fixement l'endroit où nous nous trouvons. De chacune de ses épaules pisse un épais filet de sang. Je m'approche de lui.

— Lâche ça, dis-je.

Mais cet enfoiré est totalement débile. Péniblement, d'un geste sec, il lève son revolver vers moi. Une détonation retentit et une brûlure assez intense me paralyse un bras. Une autre détonation emplit l'air et, cette fois, la main gauche de Lemay éclate, l'obligeant à abandonner son arme.

Derrière lui, la porte s'ouvre et Lemieux, tout inquiet, fait son apparition.

— Hey ! Vous faites du bruit ! Une chance que les voisins sont loin !

Il promène un œil dégoûté sur le panorama. Fixant Lemay tout sanguinolent, il semble ruminer de vilaines pensées.

— Tu as encore besoin de lui ? Pour retrouver la fille ?

— Tu as tout compris.

— Bon ! OK. On va faire ça rapidement. On va le soigner un peu pour qu'il ne nous pète pas dans les mains. On va commencer par nettoyer ses blessures.

Il se dirige vers la cuisine et, en passant, repousse d'un pied négligent la main du cadavre de Blanchet. Je connais le genre de soins que prodigue Lemieux. C'est pas vraiment méchant mais comme médecine, c'est assez radical. Claude va encore gueuler s'il y assiste.

— Claude, balance Blanchet à la cave. Ne le laisse pas vis-à-vis du trou. Tasse-le un peu, qu'on ne l'aperçoive pas tout de suite. On ne sait jamais. On peut avoir besoin d'une discrétion plus grande que ce qu'on imagine.

Il n'est pas dupe. Il a parfaitement compris que ça lui permettrait de ne pas être sur les lieux de l'opération médicale. C'est donc sans rechigner qu'il tire Blanchet par les pattes pendant que Lemieux revient au salon, une bouteille de vinaigre à la main.

Lemay est toujours pantelant comme une marionnette. Il s'est laissé tomber sur un divan qui, si on veut le conserver, devra être entièrement recouvert. Jamais le style provincial français n'a possédé une telle teinte.

— Alors, ti-cul, tu vas nous dire où es ta patronne, je lui demande en lui lançant une claque qu'il accueille sans trop de réaction.

— Elle est pas revenue avec nous autres, marmonne-t-il.

— C'est gentil de nous le faire remarquer. Ce qu'on te demande, c'est où elle est, maintenant ?

Il a une petite crise d'héroïsme et refuse de l'ouvrir.

Sans sourciller, Lemieux verse une généreuse rasade de vinaigre sur une de ses épaules. Subitement, il se rappelle qu'il est dans une mauvaise passe et il accepte de collaborer.

— On l'a laissée en ville.

— À l'hôtel ?

— Non… Chez vous.

— Chez moi ? Pourquoi ?

— Sais pas.

— Elle doit retourner à l'hôtel ?

— Sais pas.

Nouvelle rasade de vinaigre, accompagnée d'un cri strident du camarade. Une fois sa crise de larmes atténuée, il poursuit.

— Je jure que je sais pas pourquoi, braille-t-il. Nous autres, on devait juste la protéger, au cas où il y aurait des problèmes. C'est tout.

Pas folle, Miss Goldsberg ou Patrikov, au choix. Elle fait son petit boulot et elle laisse les saloperies aux salopards. N'empêche qu'on a intérêt à se grouiller. Si elle est retournée à l'hôtel, elle n'y restera certainement pas longtemps.

— Et Longtin, pourquoi vous l'avez descendu ?

— Sais pas, maintient Lemay.

Lemieux verse de nouveau son baume. Son patient hurle comme un damné.

— Sais pas, répète-t-il à travers deux sanglots spasmodiques.

Lemieux tourne un œil vers moi. De la tête, je fais signe que non. Ça ne sert à rien, ces types ne sont pas dans la confidence. Ils se bornent à exécuter les ordres. Un point, c'est tout.

— Tu es marié ? je demande à notre victime.

Ahuri par la tournure de la discussion, Lemay me regarde comme si j'avais des soutiens-gorge accrochés aux oreilles.

— Non, pourquoi ?

— Tu as une mère, alors ?

— Oui.

— Tu veux qu'on lui remette ton fric, après ta mort ?

Il est pris d'un violent tremblement. Tout ce qui reste de vivant chez lui tremblote. Il claque des dents. Il a compris que maintenant, c'est son tour. Bizarre de constater à quel point les tueurs ne s'attendent jamais à mourir de la même façon que leurs victimes.

Je n'ai évidemment aucune intention de chercher son argent ni de faire les efforts pour le remettre à la pauvre femme qui a mis cette pourriture en état de marche. Je dis simplement ça à Lemay parce que j'ai horreur que les gens ne sachent pas ce qui leur arrive ou ce qui va leur arriver.

Lemay en est rendu aux supplications. Il tente désespérément de tendre les deux bras mais n'y parvient pas. Moi, très facilement, j'élève le canon de la M-16 et j'appuie sur la détente. Une collection de balles le fait sursauter une dernière fois. Sous l'impact des projectiles, comme un pantin désarticulé, il recule avec le divan où il était installé.

— Pfff! soupire Lemieux. Tu aurais pu régler l'arme pour qu'elle ne soit pas en automatique. Une seule balle aurait suffi. Encore du gaspillage…

Le spectacle n'est pas très beau. Le coffre de Lemay est perforé à au moins cinq endroits. Pourtant je n'ai fait qu'appuyer une seconde. Pas tout à fait, même.

— On le fout aussi à la cave? demande Gerbier qui revient de planquer notre premier geôlier.

— Oui… Allons-y!

CHAPITRE 11

Après avoir pansé ma blessure avec des bandes de draps propres, je me sens un peu mieux. Ce n'est rien de sérieux. Juste une bonne lacération que les docteurs n'auront pas de difficultés à réparer. Ça brûle mais c'est tolérable.

Dans le coffre de la Cadillac de nos deux tueurs, on a retrouvé nos armes. Lemieux est resté derrière nous pour surveiller la maison après avoir demandé des renforts et ordonné qu'on surveille de nouveau l'hôtel où loge notre bonne copine. Théoriquement, pour elle, nous sommes toujours dans la cave de la maison de campagne et elle ne doit pas se faire trop de souci. Elle est prudente et elle déménagera probablement, mais elle n'a pas vraiment de raisons de se presser.

Lemieux nous a indiqué le chemin du retour en précisant que la maison se trouve à L'Acadie, petite municipalité bucolique de la rive sud de Montréal. Nous, contrairement à Mme Patrikov ou Goldsberg, on est pressés, mais il n'est pas question de faire d'excès de vitesse. C'est surtout pas le moment de se faire arrêter et de perdre du temps à s'expliquer.

En arrivant à l'hôtel, je contacte de nouveau Lemieux. Les renforts sont là dit-il, et son équipe de filature, à l'hôtel, lui indique que notre cliente est de retour chez elle.

On fonce dans le garage, on descend quelques étages et on abandonne notre gros taxi pas trop loin des ascenseurs. On a toujours l'air de deux robineux avec nos vêtements trouvés dans la maison de campagne et c'est certain qu'on va détonner parmi la clientèle de l'établissement. Malheureusement, on n'a pas le temps de passer chez Saint Laurent faire ajuster la coupe de nos tenues. L'ascenseur nous catapulte à l'étage de notre cliente.

— Cette fois, on y va directement.

Au moment où je dis cela, la porte de l'ascenseur s'ouvre sur une grosse dame aux cheveux bruns. Elle nous regarde passer pendant que Gerbier répond qu'il n'a aucune intention de jouer de nouveau aux sardines et que cette fois, il peut faire du gros dégât si jamais Annette nous a préparé un coup fourré.

Derrière nous, la porte de l'ascenseur se referme, engouffrant la baleine qui nous attendait sur le palier.

— Bordel, c'est elle ! que je m'exclame en faisant demi-tour au pas de course. Claude, appelle les gars, dis-leur de surveiller une grosse aux cheveux bruns !

Un instant interdit, Gerbier s'empare de son téléphone et compose quelques chiffres. Je me rue dans l'escalier de service et dévale les marches quatre à quatre. Je descends comme ça six ou sept étages pour finalement apparaître au rez-de-chaussée. Gerbier se pointe quelques secondes plus tard, époumoné.

— Claude, vérifie le rez-de-chaussée. Moi, je vais au garage. Si elle est en voiture, il faudra bien qu'elle paie avant de sortir.

— Tu parles de la grosse ?

— Oui.

Sans me retourner je continue à massacrer les marches avec mes bottes trop grandes.

J'arrive à bout de souffle au guichet de sortie du garage et je suis obligé de m'appuyer une seconde sur le comptoir avant de pouvoir demander si une grosse avec les cheveux tirés en chignon est sortie. Le commis répond en anglais qu'il ne comprend pas ma question. Je m'empresse de la lui reformuler dans l'espèce de ramassis de sons informes qui lui sert de langage.

Gentil, il consent à me répondre qu'il s'occupe seulement de vérifier les billets et de rendre la monnaie et qu'il se fout de la tête de ses contemporains comme de son premier rhume. Je lui offre avec hargne ma qualité de flic à bout portant, ce qui doit le faire réfléchir étant donné qu'il me confie ne pas avoir vu la préoccupation de toutes mes pensées.

J'attends donc à l'angle de la guérite que Mlle Annette se pointe, en constatant que mon téléphone ne fonctionne pas dans ce garage. Je ne peux donc pas demander de l'aide. Faudra jouer en solitaire en attendant que Gerbier, ou un gars de la filature, finisse par se manifester.

Quelques voitures s'arrêtent et les conducteurs règlent le prix du stationnement. Placé comme je suis, je vois tout l'intérieur des voitures. Finalement, une auto de location apparaît. Derrière le volant, une masse imposante. J'ordonne au commis de ne pas ouvrir la porte du garage et je contourne la colonne derrière laquelle se trouve la guérite, ce qui me mènera fatalement derrière la voiture et me permettra d'atteindre la portière côté passager.

J'espère qu'il n'y aura pas trop de sport car le bras gauche me brûle de plus en plus. Cette ordure de Lemay ne m'a fait qu'une égratignure, mais j'ai le bras tout engourdi et je sens que la petite course à laquelle je me suis livré n'a pas arrangé la plaie que les gars avaient réussi, tant bien que mal, à colmater.

La voiture est garée devant le guichet et la chère dame s'impatiente pendant que le commis, maintenant moins agressif, fait semblant de chercher de la monnaie.

Je me glisse du côté passager en priant le ciel que la porte de la voiture ne soit pas verrouillée. L'arme à la main j'ouvre la portière. La moitié du corps à l'intérieur de la voiture, je pointe Annette. Après une seconde d'hésitation, la grosse me demande ce que je fais puis, fixant mon revolver, elle lance un cri de mort à faire croire que mes tympans viennent d'éclater. Si ce cri n'est pas sincère, c'est drôlement bien imité.

Pour la faire taire, après m'être glissé à ses côtés, je lui balance un jab de la gauche, ce qui me fait dix fois plus mal qu'à elle. Maintenant, elle hurle au secours et tente de quitter sa place. Difficilement, je la retiens. J'ai le bras qui veut de plus en plus se mettre en grève.

— Regarde, ma grosse, tu continues comme ça et je t'en place un à un endroit qui t'empêchera à tout jamais de te présenter sur une plage. Tu peux pas savoir comme c'est moche une cicatrice de balle dans une cuisse, surtout quand c'est pas réparé rapidement.

Ça la fait taire miraculeusement. On dirait même que ça lui redonne son sang-froid.

— Bon, maintenant, tu vas reculer et tu vas stationner. Essaie de trouver une place pas trop loin des ascenseurs.

Docile, elle ne dit rien et manœuvre habilement la voiture selon mes indications. Pendant trente secondes, avec le cinéma qu'elle m'a fait, j'ai cru que j'avais fait erreur sur la personne et que je venais de mettre la main sur une bonne grosse qui n'a rien à voir avec mon histoire. Mais plus je la regarde, plus je suis certain de ne pas m'être trompé.

Je la maintiens toujours en joue, pendant que mon regard périphérique cherche une place de stationnement. Il n'y a rien de libre. La grosse s'apprête à emprunter la rampe qui mène à l'étage inférieur quand soudain, elle saute de la bagnole, qui fait un bond en avant. Je tente d'attraper le levier de vitesses pour passer à «park», mais je n'en ai pas le temps. La voiture percute une colonne de béton et je me pète le nez sur le tableau de bord.

Le pif en sang, que je torche à coups de manche, je me lance à sa poursuite. Elle a très peu d'avance et je la rattraperai vite. J'entreprends mon sprint mais bientôt je réalise que c'est plutôt difficile de courir avec le nez bouché. N'empêche, la distance diminue entre nous. Elle a balancé ses souliers à talons pour mieux courir et elle y va de bon cœur, mémère.

Une voiture débouche à l'angle de l'entrée du parking. Elle agite les bras comme une désespérée en allant se placer du côté passager. Intrigué, le chauffeur s'arrête, la laisse monter, puis accélère en me fonçant dessus. Je me jette entre deux voitures et je tire sur les pneus. Il poursuit sa route sans se rendre vraiment compte encore qu'il a un pneu crevé. Chiant, les innovations technologiques; dans le temps, quand tu crevais un pneu, tu le savais tout de suite. Aujourd'hui, pffff!

Près de moi, un escalier mène à l'étage

inférieur. Je l'emprunte. Mon type doit fatalement passer par là s'il veut revenir à la sortie.

Je suis épuisé. Exténué. Je ne sens plus mes jambes. Et ma blessure au bras doit saigner abondamment puisque j'ai la main toute poisseuse d'un liquide chaud. J'ai aussi du sang plein le nez et je dois absolument respirer par la bouche pour avancer.

La voiture revient lentement car maintenant on entend le flic-floc du pneu crevé que le chauffeur n'a sûrement pas manqué d'entendre. Je tire à deux reprises, dans le moteur cette fois. Le radiateur est crevé et un liquide jaune s'écoule sous la voiture mais, pour l'instant, la bagnole continue à avancer. C'est là qu'on regrette de ne pas avoir un Police Python. Avec ça, c'est sûr : deux projectiles dans le moteur et vous arrêtez le véhicule de votre choix.

Je n'ai plus que trois balles. La voiture est presque sur moi. J'en largue une dans le pare-brise.

Ça ne fait qu'un trou bien propre dans la vitre mais ça réduit en miettes le courage du chevalier servant de la dame. Il s'écrase dans son siège et applique les freins fermement. Annette, elle, tente un nouveau sprint. Pas à dire, elle a du nerf, cette dame. Je la rattrape et lui file un gigantesque coup de genou sur une cuisse, suivi d'un coup de crosse dans les côtes. Comme ça, elle va me foutre la paix cinq minutes.

— Ne me tuez pas ! Ne me tuez pas !

Le chauffeur est terrorisé. Allongé sur la banquette, il tend les deux bras devant lui. C'est un petit maigrichon d'une cinquantaine d'années qui n'a probablement rien fait d'autre dans la vie que de se rendre à l'école, d'abord, au bureau ensuite et, finalement, à la maison pour boire du thé avec sa femme en regardant grandir ses enfants. Cette histoire, ça va meubler ses conversations pour le reste de ses jours.

Avec ma gueule ensanglantée, je dois faire peur.

— Du calme… Qu'est-ce qu'elle vous a raconté pour que vous vous mettiez à jouer aux héros ?

— Elle m'a dit que vous vouliez la violer.

Je hausse les épaules. Avec l'allure qu'elle a, Annette Goldsberg ne pourrait même pas inspirer un hippopotame atteint de priapisme.

Les types de la filature commencent à se montrer. J'en vois arriver deux, probablement ceux qui étaient à l'extérieur, pétard en mains. Je décide de leur faire de grands signes, car avec la gueule que j'ai, ça pourrait peut-être leur prendre un moment pour me replacer. En les voyant arriver, le chauffeur se redresse sur son siège.

— Pour votre bagnole, lui dis-je, en laissant approcher mes deux confrères, ils vous diront à qui vous adresser pour les réparations.

Il sort de sa voiture, et en fait le tour pour constater les dégâts. Ses calculs mentaux doivent lui avoir donné le montant de la facture car il affiche une très mauvaise mine. Pendant ce temps, mes collègues me tiennent toujours en joue.

— Ça va, les gars… Baissez vos armes…

— Jette plutôt la tienne par terre.

— Écoutez les gars, c'est moi, Saint-Ours…

Les deux gars ne sont pas sûrs. Pourtant, l'un d'entre eux, Pierre Saint-Jean, me connaît très bien. Il me braque toujours.

— Max ?

— Oui ! C'est moi !

Son examen doit être concluant car il rengaine enfin son arme et s'approche de moi. Mais pas son partenaire, un agent plus jeune que j'ai vu une fois ou deux dans nos bureaux, qui ne baisse pas la garde.

— Belle soirée, dit Saint-Jean en souriant. En tout cas, c'est pas ce soir que tu vas faire du ravage chez les dames…

Son compagnon comprend finalement que je suis du service. Et jette un coup d'œil vers Annette :

— Ça va… On va s'occuper d'elle.

La belle commence à retrouver son souffle. On lui passe les menottes. De l'autre bout du garage, des badauds commencent à approcher. Manquait plus que ça.

— Ça m'apprendra à me mêler de mes affaires, dit le chauffeur quinquagénaire en pleurnichant.

Sur le mur jaune sale du fond du garage apparaissent les lueurs bleues et rouges des gyrophares d'une voiture de police. D'un léger coup de sirène, elle écarte les badauds. Un deuxième véhicule suit et s'arrête à la hauteur des curieux. Les flics en sortent pour les empêcher d'approcher.

La première voiture s'est immobilisée. Ses deux occupants sont maintenant à l'extérieur, cachés derrière leur portière respective.

Le policier du côté passager pointe un .12 dans notre direction.

On a tous les mains en l'air, histoire de ne pas les énerver.

— Laissez tomber vos armes !

Doucement, le jeune collègue et moi, on dépose nos armes sur le sol.

— Pierre, dis-je, tu t'occupes d'eux.

Saint-Jean entame une discussion avec l'agent, un grand blond, qui se calme et fait signe à son collègue de baisser son arme. Les policiers sursautent quand Gerbier arrive au pas de course avec l'autre type de la filature, celui qui était dans le hall de l'hôtel.

J'entends Saint-Jean leur expliquer qu'ils sont avec nous.

Après quelques explications sur ce qui s'est passé, Gerbier décide de remettre Annette sur pied. Le petit quinquagénaire héroïque, lui, n'a rien trouvé de mieux à faire que de trembler de tous ses membres. Le grand blond est maintenant à l'intérieur de son véhicule, accroché à son radio-téléphone et discute fermement, probablement avec la centrale de police qui doit lui dire quoi faire. Il en ressort bientôt, tend à Saint-Jean un portefeuille et ses papiers officiels, et se dirige vers l'autre auto-patrouille pour ordonner la dispersion des badauds.

Le policier qui me braquait s'approche de moi, une trousse de premiers soins à la main.

— Vous pourrez au moins vous nettoyer.

Sitôt dit, sitôt fait.

Tout en me frictionnant le museau, que je ne trouve pas très joli dans le rétroviseur de l'auto-patrouille, je dis à Gerbier :

— Claude, emballe la dame.

— Où on va ?

— Chez elle, à l'hôtel. C'est bien là qu'on allait, non ?

— Hey, ça va être la grosse panique si on rencontre quelqu'un. As-tu vu de quoi tu as l'air ?

— M'en fous ! Viens.

Annette Goldsberg-Patrikov n'a pas dit un mot depuis qu'elle s'est relevée. Elle serre les dents et obéit en boitillant.

Le caporal responsable de la patrouille d'intervention s'approche.

— Monsieur, pour le rapport…

Je me tourne vers Saint-Jean.

— Tu t'occupes de ça, Pierre ?

Les rapports. Toujours les rapports, toujours

les identités, les justifications, toujours la bureaucratie. Au train où les choses évoluent, on ne pourra plus aller au petit coin sans remplir un formulaire en douze exemplaires, un de ces jours. L'administration sera ainsi en mesure de savoir combien de morceaux de papier de toilette ont été utilisés par tout un chacun et savoir à la goutte près combien de litres d'eau ont été dépensés annuellement pour le soulagement des fonctionnaires.

Pendant que Saint-Jean fait ce qu'il faut, on remonte à la chambre d'Annette. On ne rencontre personne, ce qui facilite les choses. Elle est docile, maintenant. Elle s'installe dans un fauteuil et croise les jambes. Je lui jette un coup d'œil intéressé. Non je ne me suis pas trompé. Tout de même, le maquillage et une perruque, ça fait des miracles. Des lunettes d'écaille en plus, et voilà une nouvelle personne.

— Claude, tiens-toi à distance. Tu connais les talents de danseuse de madame.

En la regardant, il se masse la tempe encore gonflée du coup reçu la veille.

— Je vais refaire mon pansement et on va lui poser quelques questions.

CHAPITRE 12

Quand je reviens, j'ai l'air presque humain. J'ai fini de me nettoyer et j'ai réussi à me débarrasser des coulées noires qui couraient de mon menton à ma gorge.

Ma chemise est crottée mais je n'ai pas le choix. Mon bras me fait de plus en plus mal.

— Vous avez des calmants ? je lance à la Goldsberg.

— Hey ! Hey ! Ça va pas, là, me répond durement Gerbier. C'est quand même pas le moment de te geler la bine ! Va voir dans le frigo s'il n'y a pas quelque chose pour te donner un coup de fouet !

Il a raison. Un calmant ne ferait guère que me faire dormir. Déjà que j'ai de la misère à tenir sur mes cannes.

Dans le frigo, il reste quelques petites bouteilles. Du gin, de la vodka, de la bière aussi et des petits quarts de litre de vin. Je fouille un peu et je trouve deux mini-bouteilles de Johnny Walker. Je verse le tout dans un verre et j'en avale une partie sans goûter. Du whisky sans glace, ça n'a rien de bien excitant.

Je repose mon verre avec une violente grimace provoquée par le feu qui déferle dans mon œsophage pour aller s'éteindre dans mon estomac. Ça brûle, mais ça fouette et je me sens requinqué.

— Bon, on va faire les présentations, dis-je. Madame Goldsberg ou Patrikov, à moins que ce ne soit autre chose, le jeune homme que voici est un tireur d'élite et au moindre geste estimé dangereux, il vous colle une balle dans le corps. Pas de quoi vous tuer, mais de quoi vous faire changer d'idée. Pour votre enterrement, on verra plus tard. En ce qui me concerne, ma spécialité, c'est l'absence de tendresse et de patience et surtout une volonté farouche de conserver une réputation d'efficacité, laquelle, je dois admettre, a bien souffert de votre présence en ville. Cela dit, j'espère obtenir votre collaboration. Vous comprenez que si vous ne nous l'accordiez pas, nous serions obligés de vous l'arracher.

Ses yeux fulminent mais elle semble assez intéressée.

— Saint-Ours, prononce-t-elle lentement,

jusqu'à maintenant vous avez été à la fois chanceux et malchanceux. Mais dans l'ensemble, on ne peut pas dire que vous soyez très fort. Honnêtement, j'admets avoir été surprise de vous reconnaître à la sortie de l'ascenseur. En passant, que sont devenus les deux hommes à qui je vous avais confiés ?

— Je les ai descendus, murmure Claude.

Je hausse le ton.

— Maintenant, c'est nous qui posons les questions. On se fiche éperdument de l'opinion que vous avez de nous. Nous voulons avoir Harvey et vous allez nous le donner.

— Je ne connais aucun Harvey.

Encore une qui ne veut pas parler. C'est lassant à la fin.

— Claude, va vérifier la chambre communicante. Je ne veux pas d'autres surprises.

— J'ai verrouillé les deux portes, dit-il.

— Parfait… Alors vous ne connaissez pas un homme aux cheveux gris argent ?

— Oui, fait-elle, mais pas sous le nom de Harvey. Je ne l'ai vu qu'une fois.

— Évidemment, je ricane, une seule fois. Juste le temps qu'il vous fournisse des tueurs après le petit carnage du Tettrazini.

Elle ne répond rien. De nouveau, elle semble vouloir oublier que nous existons.

— Claude, s'il y a du tapage à faire, il faut que ça reste discret.

Il hoche la tête et va s'emparer d'un oreiller.

— Ça va faire un gros pet, explique-t-il placidement, mais ça ne s'entendra pas dans les autres chambres.

Elle blêmit un peu. Je crois que l'instant est bien choisi pour lui expliquer qu'on ne s'encombre pas facilement de paquets inutiles.

— Alors, Harvey ? Je répète.

— Quoi, Harvey ?

— Appelez-le.

— Je ne sais pas qui est cet homme, je vous l'ai déjà dit.

— Alors, vous le connaissez peut-être sous le nom de Johnston, Braun ou McArthy et dans chaque cas, ça ne fait aucune différence. Vous communiquez avec lui !

— Je ne connais aucun de ces noms, Saint-Ours.

Cette poule est d'un calme absolument repoussant. Avec son déguisement de femme d'affaires trop bien engraissée par les dîners prolongés dans les restaurants de choix, elle ressemble réellement à une caissière de banque en train de me dire que mon compte est à découvert.

— Il faut appeler le monsieur aux cheveux gris argent, je susurre suavement.

— Je ne sais pas de qui vous parlez, affirme-t-elle le plus simplement du monde, comme si la conversation était terminée.

Elle m'impatiente sérieusement. Claude aussi commence à bouillir. Voilà que cette gribiche se met à l'enseigne de Karamanlis. Silence et ignorance absolus. Va encore falloir jouer aux délieurs de langue.

— Donne-moi les taies d'oreiller, Claude.

Pendant qu'il s'exécute, je la surveille. Même si elle est menottée, je m'en méfie. Claude revient et me tend les taies d'oreiller en reprenant son poste. Faisant bien attention de ne jamais me mettre dans la ligne de tir de Claude, je me rapproche d'elle et je lui attache une cheville au pied de son fauteuil. En la contournant par-derrière, je fais la même chose avec l'autre cheville, même si, cette fois, elle offre une plus grande résistance. Entravée comme elle l'est, elle ne peut plus faire grand-chose, mais je préfère avoir les coudées franches pour la suite de ma petite opération, de sorte que j'arrache un drap du lit et lui ceinture la poitrine au fauteuil.

Quand elle est bien ficelée, je vais chercher une serviette, que j'utilise en guise de bâillon.

Elle se laisse faire, sachant bien que ce qui s'en vient ne sera pas très agréable.

Quand je sors de la salle de bain avec une carafe d'eau, elle semble intriguée. Je m'empresse de lui verser l'eau sur les pieds. La flotte imprègne doucement le tapis.

Quand je m'empare d'une lampe de table, elle comprend ce qui l'attend, cette douce. Tranquillement, j'arrache le fil de la lampe et je le dénude avant de le rebrancher.

— Alors, on l'appelle ?

Elle ne bouge pas.

Je pointe mon fil vers un de ses genoux. Juste une seconde, pour lui laisser le temps de comprendre. Moi, un truc pareil, faudrait pas me le faire ! Je serais prêt à chanter « Mon pays » en serbo-croate, si on me le demandait. J'ai horreur de l'électricité. Il y en a qui ont une phobie des araignées ou du sang, moi c'est l'électricité. Mais ici, faut bien travailler avec les moyens du bord.

Visiblement, Annette n'aime pas ça non

plus, mais elle me fait signe qu'elle n'appellera pas. Je remets donc une dose, un peu plus longtemps, cette fois. Elle fait de gros yeux et se contorsionne sur sa chaise, mais elle ne laisse échapper aucun son. J'arrête pour la laisser souffler, encore plus nerveux qu'elle. Moi, j'aurais téléphoné. Sûr et certain. Juste en voyant le fil. Mais elle ne semble pas être faite comme moi, alors je pointe de nouveau le fil sur son genou.

Cette fois, je prolonge et elle grimace sérieusement.

Ça m'écoeure, je m'écoeure de devoir continuer. Mais dans toute cette histoire, six hommes sont morts et des documents qui valent une fortune, voire même la vie de plusieurs centaines de personnes, sont quelque part en balade.

Elle a un soubresaut puis cesse de bouger en même temps que se dégage une odeur de viande grillée. J'ai peut-être forcé la dose.

— Claude, viens m'aider à l'étendre.

On la détache, on lui enlève le bâillon et on la couche par terre en prenant bien soin de lui entraver les chevilles de nouveau. Son pouls bat rapidement, de sorte que ce n'est rien de bien sérieux.

Moi, je m'étends sur le lit.

Je n'en peux plus. Mon bras me fait de plus en plus mal et je n'aspire qu'à dormir.

— Elle revient à elle, dit Claude.

De peine et de misère, je m'arrache du lit.

— Annette, je halète, on l'appelle ou on remet ça ?

Elle fait signe des cils qu'elle accepte.

— Vous acceptez d'appeler ou de remettre ça ?

— Téléphone, articule-t-elle lentement.

Je fais signe de la tête à Gerbier. Entravée comme elle l'est, elle peut difficilement bouger. On la soulève et on l'installe dans son fauteuil. Après quoi, on lui enlève les menottes pour constater qu'elle a de sérieuses plaies aux poignets, probablement pour avoir forcé quand elle recevait des chocs. Ou alors le métal a servi de conducteur. Pas question de boxer quand on est organisé comme ça.

Gerbier lui tend ce qui reste de whisky dans le verre que j'ai utilisé.

— Tu m'en donneras aussi…

Gerbier me regarde curieusement.

— Tu vas être saoul, toi, si tu continues. Tiens, prends plutôt ça. Du speed…

J'avale la moitié de la capsule qu'il me tend. Dans un quart d'heure, normalement, je devrais retrouver la forme.

Annette prend quelques gouttes de whisky. Sa poitrine retrouve un rythme normal. On laisse passer quelques instants en silence.

La drogue commence à faire effet et je me sens de plus en plus d'attaque. Je sais que plus le temps va passer, mieux je me sentirai. Mais quand je tomberai, je tomberai lourdement.

Il me vient soudain une idée.

— Où est-ce que vous alliez, habillée en vieille fille ? Vous avez tout intérêt à me répondre correctement, sinon on recommence la petite séance.

— J'allais… chez Vanelli…

— Pourquoi ?

— Pour lui demander d'expédier quelqu'un s'occuper des serveurs et du propriétaire du Tettrazini.

— Pourquoi vouliez-vous les descendre ?

— Qui vous a dit qu'on voulait les descendre ? On voulait simplement…

— Vous vouliez quoi ?

Pas de réponse. Ras le bol. J'attrape mon fil et l'applique sur sa jambe. Elle sursaute en criant.

— Vous vouliez quoi ? je répète en retirant le fil.

— On voulait simplement savoir s'ils n'avaient rien trouvé après les meurtres.

— Et moi, pourquoi avoir cherché à m'abattre ?

— On croyait que tu avais les documents.

Bon, on est copains, maintenant. C'est vrai que le « tu », ça fait plus intime. N'empêche qu'elle est en train de me suggérer qu'un officier de mon rang garderait sur lui les documents qui ne sont recherchés que par une dizaine de services. Ben voyons donc… Tout à fait normal.

— Et le type aux cheveux gris, comment il s'appelle ?

Elle jette un coup d'œil hésitant sur le fil toujours à ma disposition.

— Pearson… Tom Pearson… Américain.

— Claude, passe l'info aux fichiers, demande s'ils ont quelque chose sur cet honorable personnage.

Moi, je poursuis. Ça devient intéressant.

— Tu devais le voir ce soir ?

— Non, balbutie-t-elle.

J'ai l'impression subitement que cette charmante n'a jamais cru, le jour où elle a décidé d'être une aventurière, que ça pouvait jouer aussi dur.

— Et tu sais où le joindre ?

Elle balance la tête de haut en bas, ce qui est un signe affirmatif très répandu.

— Alors, comme je te le demandais, tu vas l'appeler et lui dire que Vanelli se méfie de toi. Tu lui expliqueras qu'il ne t'a jamais vue et qu'il prétend qu'il ne sait pas de quoi tu parles.

Je tire le fauteuil d'Annette jusqu'au téléphone. Les larmes qu'elle a versées ont dilué son maquillage et elle a maintenant une allure plutôt comique.

— Et toi, ma chouette, c'est quoi, ton nom ?

Elle n'a plus l'air disposée à faire des confidences. Ce qui me fait comprendre qu'elle pourrait me faire une vacherie au téléphone ou alors simplement refuser d'appeler son petit camarade.

Claude est installé à la table de chevet, à prendre des notes, sans perdre Annette du regard.

— Regarde, ma poule, il faut que tu comprennes que si tu disais un mot de trop au téléphone ou que tu refuses de l'appeler, ça fera très, très mal, cette fois-ci. Compris ?

Elle ne répond pas.

— Penses-y.

Gerbier referme son cellulaire.

— Max, Pearson, c'est un chum de Racine. Un ancien des spéciaux U.S. qui a servi avec Racine et qui a disparu à la même époque, pour les mêmes raisons. En fait, les Américains pensent qu'ils étaient de connivence. Si on n'a pas retrouvé son portrait au fichier la première fois qu'on l'a cherché, c'est qu'il a considérablement changé de tête. Germain vient de me dire que le portrait qu'il possède n'a rien à voir avec le portrait-robot qu'on a fait, si ce n'est le nez et encore, il a fallu qu'il l'examine attentivement…

— Et elle, dis-je en désignant Annette.

— Inconnue au régiment…

— Bon, il faudra bien qu'elle nous dise un jour ce qu'elle fait dans cette histoire de cons. En attendant, elle va appeler son petit ami.

La suite se passe normalement. J'enlève l'identification de mon téléphone et je le tends à Annette. Ça vaut mieux, des fois que Pearson aurait un décodeur sur son appareil. Elle l'appelle et parle d'un ton assuré pour expliquer que ça ne va plus, que Vanelli ne marche plus.

Elle ajoute que l'Italien a peur parce qu'il ne la connaît pas et elle croit qu'il imagine un piège de la police . On ne peut entendre la réponse de Pearson mais il semble marcher dans l'histoire puisqu'elle finit par dire qu'elle l'attend.

Aussitôt qu'elle a raccroché, Gerbier reprend l'appareil pour appeler le bureau et donner le numéro que vient de signaler Annette. Il s'agit probablement d'un cellulaire mais vaut mieux ne pas prendre de risques. La chose faite, il demande aussi qu'on envoie discrètement des gentlemen au Lion d'Argent afin de ramasser tous ceux qui auraient des démêlés avec nos agents déjà en place. Il fait remarquer qu'il peut y avoir de la résistance. Il vaut donc mieux que nos hommes aient leurs antibiotiques bien en main.

Il a à peine raccroché que le téléphone de la chambre sonne.

— Tu attends un appel? je demande à Annette.

Pas de signe d'acquiescement ou de négation.

Probablement Pearson qui vérifie si elle ne le berne pas en lui disant qu'elle est au Lion d'Argent.

— Laisse sonner.

Je tente de me remémorer chacune des paroles qu'elle a dites à Pearson. Rien ne me semble anormal. À mon avis, elle n'a donné aucun signal d'alerte.

Néanmoins, celui qui appelle est patient car il laisse sonner au moins dix coups. Lassé, il raccroche. Le silence s'installe de nouveau dans la pièce avec, cette fois, un climat de suspicion que je n'avais pas ressenti depuis quelques heures.

— Claude, préviens le gros que son client va peut-être se pointer sous peu au Lion d'Argent. Qu'il fasse surveiller l'entrée des artistes aussi. Non, attends, je vais l'appeler moi-même. Tu es plus en forme que moi, si jamais elle tente de faire quelque chose.

* * *

Le gros est complètement paf quand je parviens à le joindre. Il lui a fallu douze coups avant de se décider à répondre et quand il le fait, je l'entends gazouiller que « des fesses dodues et rondes comme celles-là, ça mérite au moins une autre danse à 10 $! »

Il termine enfin sa sérénade et consent à me dire un « bonsoir » nasillard.

— Hé, grosse outre, je ne t'ai pas envoyé là pour te paqueter la fraise !

— Max, fait-il, faut que tu comprennes… Dans un endroit comme ici, il faut consommer, sinon on vous fout à la porte. Et puis, les petites filles sont tellement gentilles que ça porte à la confidence. Alors, comme ça, parle, parle, jase, jase, finit par faire soif. Remarque, les gars et moi on a été modestes. Juste quelques petites bières, question de se désaltérer et de mieux jouir du spectacle. On a aussi offert quelques vodkas aux petites filles, pour pas qu'elles se sentent seules, tu comprends ? La note de service ne devrait pas être trop élevée, me précise-t-il d'une élocution très hachurée.

— Écoute, mon gros, tu vas te mettre au Seven-Up à l'instant même, comme les autres. Quant à la note de frais, je m'en balance ! Ce que je veux, d'abord et avant tout, c'est Pearson.

— C'est qui, ça, Pearson ?

— Harvey, si t'aimes mieux.

— Ha bon ! Je me disais aussi que j'étais pas si saoul.

— Il y a deux portes dans le trou où tu te trouves ?

— Oui… Il y a la sortie de secours.

— Alors fais-la surveiller. Demande à un des gars de faire le tour du building au cas où il n'y aurait pas aussi une entrée réservée au personnel. Toi, va rejoindre Vanelli tout de suite, présente-lui tes salutations les plus distinguées et ordonne-lui, s'il reçoit un coup de téléphone de Harvey lui demandant si une femme est passée le voir, de répondre par l'affirmative. Si Harvey demande pourquoi Vanelli n'a pas accepté de la voir, il n'aura qu'à répondre qu'il ne traite que directement. Ha ! En passant, Bouboule… Vanelli a la manie de tout enregistrer. Laisse-le faire jusqu'à ce que ce soit fini. Après la conversation, arrache-lui la bande. Son appareil est sous le bureau. Tu écouteras pour voir s'il ne nous joue pas un coup fourré.

Le gros éructe violemment dans l'appareil et force m'est de conclure que ce son se voulait être une affirmation. Je raccroche.

— Qu'est-ce qu'on fait avec elle ? dit Gerbier en pointant Annette du doigt.

— On rentre au bureau en attendant des nouvelles du gros. On l'emmène avec nous. Préviens Lemieux qu'il peut lever le siège là-bas. Qu'il appelle les homicides et qu'il s'arrange avec eux pour Lemay et Blanchet. Ils trouveront bien quelque chose à dire aux journalistes.

CHAPITRE 13

L'odeur de vieux cuir, de sueur et de renfermé flotte toujours dans l'air avec des effluves de tabac quand on entre. Pour une fois, je suis sauvé d'avoir à m'accoutumer à l'odeur à cause de mon nez bouché.

On a placé Annette en cellule en recommandant aux gardiens de lui appeler un médecin pour la remettre en état. Malheureux quand même d'avoir dû abîmer un si beau morceau. Je fais part de cette pensée profonde à Gerbier.

— Tiens, ça me fait penser… Comment t'as fait pour la reconnaître sous ce déguisement ? Personnellement, je serais passé auprès d'elle dix fois sans la remarquer.

— C'est Karamanlis qui m'a mis la puce à l'oreille quand il a dit qu'il avait cru reconnaître les yeux de notre portrait-robot. Un type comme lui, avec le métier qu'il pratique, peut difficilement se tromper sur ce genre de détails. En plus, la première fois qu'on s'est rendus au Hyatt et qu'elle nous a proprement assommés, j'avais remarqué qu'il y avait des vêtements beaucoup trop grands pour elle. Sur le coup, j'ai cru qu'il y avait deux femmes dans la chambre. C'est quand tu m'as garanti, plus tard, qu'il n'y avait qu'une seule femme que je me suis rappelé qu'il y avait aussi un porte-perruque. Remarque, quand on est sortis de l'ascenseur, ça m'a tout de même pris un peu de temps pour réagir.

— Et son rôle, dans cette affaire ?

— Je suis comme toi, je n'en sais rien pour l'instant !

— Pourquoi on ne le lui demande pas tout de suite ?

— Écoute, le couscous de cet après-midi est rendu très loin. J'ai l'air d'un robineux. J'ai un bras à faire panser par un individu compétent. Le gros doit donner des nouvelles. Après, on avisera.

Je m'empare du téléphone pour appeler le garde de service pour lui dire de nous envoyer des vêtements frais ainsi que le médecin, quand il en aura fini avec Annette. Je sais très bien qu'ils vont nous envoyer une chemise bleue et un pantalon marine mais en mettant un veston décent par-dessus, ça ne paraîtra pas trop, surtout le soir. En tout cas, on pourra aller manger un morceau sans être regardés comme des éléphants dans une verrerie.

Gerbier, pendant mon appel, ne cesse d'osciller la tête de gauche à droite. Son manège m'intrigue et je l'interroge dès que j'ai raccroché.

— On n'avance pas, Max… Ils savent pas plus que nous où sont les documents et le fait d'avoir mis la main sur le tueur et son équipière ne calmera pas le boss. Avoir liquidé des truands de renom ne servira pas non plus. Et puis, même une fois toute la bande sous les verrous, il nous reste une foule de questions auxquelles on ne peut pas répondre…

— Comme ?

— Par exemple, Longtin. Pourquoi est-ce qu'ils l'ont descendu ? Comment l'attaché-case est-il sorti du resto ? Le rôle ou l'intérêt de cette fille dans cette histoire ? La présence de Pearson, aussi un ancien des spéciaux, ça non plus on ne pourra y répondre, à moins qu'il accepte de nous le dire, ce dont je doute beaucoup. Et puis, la plus importante de toutes les questions : où sont ces maudits documents ?

Je réalise aussi très bien qu'on n'est pas au

bout de nos efforts. Néanmoins, je suis plus optimiste que mon subordonné.

— Effectivement, je ne comprends pas l'assassinat de Longtin. Je ne sais pas non plus comment la mallette est sortie du resto mais j'ai une petite idée à ce sujet que je vais vérifier bientôt. En ce qui nous concerne, nous avons la version de la fille. Elle croyait que j'avais les …

— Tu sais très bien que ça ne tient pas debout, cette réponse, Max, m'interrompt Gerbier. Elle est suffisamment professionnelle pour savoir qu'aucun agent, même le plus minable, ne se promènerait avec un dossier… Voyons !

— Je suis d'accord avec toi et c'est pourquoi je veux discuter avec Harvey. Ou Pearson, peu importe. Quant à la fille, elle finira bien par nous expliquer sa présence. À première vue, avec ce que je sais maintenant de Pearson, j'aurais tendance à dire qu'il travaillait de concert avec Racine. Peut-être qu'il a décidé d'agir à son compte, va donc savoir… Pour les documents, je suis comme toi : je n'ai aucune espèce d'idée de l'endroit où ils peuvent être passés. Je compte sur l'interrogatoire de Patrikov-Goldsberg et sur l'interrogatoire de Pearson pour connaître leurs idées à ce sujet. Ça serait déjà quelque chose…

Sur ces paroles, le garde entre avec des vêtements à notre taille. Derrière lui, le médecin, avec sa petite trousse, me jette un œil navré.

Il est sympathique, le doc. C'est un petit homme au début de la soixantaine avec le nez plus rouge qu'une étiquette de Molson. Il émane toujours de lui une odeur de cognac en fermentation et c'est probablement l'individu qui a le plus horreur de l'autorité qu'il m'ait été donné de connaître. À part les bandits, bien sûr. Ce qui fait de lui un être tout à fait cynique, pour ne pas dire carrément méchant. L'alcool lui délie la langue et il l'utilise pour pestiférer contre ceux qui lui procurent son gagne-pain.

Ce soir, il semble particulièrement en forme.

— C'est vous qui avez abîmé cette belle jeune femme? fait-il en montrant le plancher du doigt et en nous regardant furieusement.

— Oui. On n'avait pas le choix.

— Pas le choix! Pas le choix! Je vais vous rapporter à la Ligue des droits de l'homme, moi. Vous savez qu'on a déjà jeté des gens en prison pour moins que ça? Si ça continue, il faudra une police pour protéger la population de la police !

— On n'est pas de la police !

— C'est pareil ! On ne peut pas se permettre d'avoir des fous dangereux en circulation et légalement armés par-dessus le marché ! Non, mais si c'est pas malheureux, une jeune fille comme ça ! Rien que d'y penser me donne envie de lui faire des douceurs !

Gerbier éclate de rire et je ne suis pas loin de l'accompagner. En fait, on se demande tous les deux quand ce vieux débris de docteur a fait des « douceurs », comme il le dit, pour la dernière fois. Ce devait être à l'époque où Duplessis refusait les déficits. Après, la chose a dû être plutôt compliquée. Et ce n'est pas de la médisance puisque le doc se complaît à affirmer que s'il avait été actionnaire de Courvoisier, à lui seul il aurait assuré les profits de la société.

— En attendant, docteur, de fonder votre société de protection de la population contre les flics, remettez-moi donc ce bras en état de marche.

Comme tous les myopes rendus à un certain âge, il enlève ses lunettes pour mieux examiner le pansement que les gars m'ont bricolé.

— Qui c'est, le cochon qui a fait ça ?

— C’est moi, rétorquai-je. Pas doc, moi…

Il arrache dédaigneusement la gaze qui entoure mon bras et examine ma blessure.

— De mon temps, soupire-t-il, les truands tiraient mieux que ça… Si au moins la blessure s’était infectée… Même pas. Ha, la, la, quel malheur !

Il me nettoie tout ça sans joie, laborieusement comme il sied à un médecin qui travaille avec vingt onces de cognac au fond de l’estomac.

Après, nous nous rendons à la Maison de la pizza, un endroit qui offre un choix de soixante-dix-neuf variétés. Il est tard et le service est rapide. Heureusement car je meurs de faim. Il m’a fallu lutter avec le docteur pour qu’il me donne des excitants mais finalement, je l’ai convaincu.

* * *

Mon téléphone sonne de nouveau. Je baisse le volume de la radio où un type est en train de raconter à la sexologue qu’il ne bande bien qu’après avoir avalé un pied de céleri. Elle lui répond que c’est pareil pour les lapins et qu’ils ne s’en plaignent pas, eux.

C’est le gros qui est en ligne.

— Max, la boîte va fermer dans cinq minutes et le gars ne s'est toujours pas présenté. Qu'est-ce qu'on fait ?

— Place des hommes à l'extérieur et disleur d'attendre. Viens nous rejoindre, on retourne au bureau.

Une quinzaine de minutes plus tard, Gerbier et moi on déboule dans notre officine. Il s'écrase dans un fauteuil, allonge les jambes et s'endort presque tout de suite. Il ronfle et marmonne des trucs incompréhensibles. Son rêve n'a pas l'air très agréable car il emprunte de temps à autre des mimiques plutôt agressives.

Les pilules que le médecin m'a refilées sont particulièrement efficaces. Je suis incapable de fermer l'œil. La seule chose qui m'agace, ce sont ces brûlements d'estomac mais à vrai dire, je m'inquiète plus que notre plan ait échoué.

Il faudra trouver autre chose et je ne vois rien d'autre pour le moment que de faire évader Annette pour qu'elle reprenne contact avec Pearson. Elle est très forte, de sorte que c'est un jeu risqué car si elle nous glisse entre les doigts, aussi bien se chercher une autre job. D'un autre côté, je n'ai vraiment plus le choix. La fouille de ses affaires personnelles n'a strictement rien donné. On n'a même pas été capable de retrouver le neuf millimètres qu'elle avait braqué sur nous dans la chambre d'hôtel. Du côté de la maison de campagne, il n'y avait rien non plus.

Pourtant, le temps passe et il faut en arriver rapidement à une solution.

Un quart d'heure plus tard, le gros entre en trombe dans le bureau et, pour se mettre de bonne humeur, entreprend de faire basculer le siège de Gerbier. Ce dernier, réveillé en sursaut, se redresse, colérique et hargneux et l'engueulade monte.

— Vos bouches, je crie.

— Va donc au diable ! lance Gerbier.

— Dites donc, sergent, c'est à votre supérieur hiérarchique que vous vous adressez, je complète sérieusement.

— Ouais, ben, bon, tu sais ce que j'en pense de ta supériorité hiérarchique !

Le gros approuve vigoureusement de la tête. Comme toujours, quand deux types se battent, s'il en intervient un troisième, ils se liguent tous deux contre l'intrus.

— Ça suffit ! dis-je. On a du travail. Bouboule, organise-toi pour faire évader la poule. Faut que ça ait l'air sérieux. Il n'y a presque plus personne dans la baraque. Je vais envoyer le gardien chercher la fille. Elle s'est reposée depuis une couple d'heures, elle a mangé, elle doit donc être assez en forme pour faire une grosse surprise au gardien qui ne sait pas vraiment à qui il a affaire. Bouboule, tu vas te poster à l'extérieur, ça permettra d'éliminer ton odeur de patchouli. Claude, va préparer une voiture, moi je reste à scruter les écrans de surveillance.

Gerbier se lève mollement. Bouboule danse d'un pied sur l'autre.

— Max, demande-t-il.

— Quoi ?

— Pour le patchouli ? Ça sent tant que ça ? C'est une des petites au club. Tu vois, j'étais préoccupé par ce qui se passait et j'ai pas fait attention.

— Attention à quoi ?

— À l'odeur de patchouli.

— Quoi ? La fille s'est assise sur toi ?

— Non ! Non ! proteste-t-il. C'est à peine si elle m'a touché.

Gerbier est dans la porte, un sourire vengeur aux lèvres. Il en veut encore au gros de son réveil brutal.

— Elle t'a touché à deux mains et du bout

des lèvres, c'est ça ? demande-t-il.

Le gros est devenu tout rose.

— C'est Mme Dulude qui va être heureuse de constater que la concentration de patchouli est plus forte sur le « Fruit of the Loom », ajoute Gerbier, méchant.

Le gros est rendu bourgogne.

— Mais non, les gars, c'est pas ce que vous pensez. Max, dis-lui qu'il se trompe sur toute la ligne ! Je …

— Ça va ! Tu iras te laver au jus de tomate quand ce sera fini. En attendant, on opère !

Bouboule va pour prendre la porte puis se ravise.

— Comment elle va ouvrir la porte pour sortir ? Le garde la ferme de sa guérite à chaque fois qu'il doit s'absenter. M'étonnerait qu'on puisse le faire déroger à ses consignes et ça m'étonnerait aussi que ta demoiselle trouve normal d'avoir une porte débarrée devant elle. Ce serait trop facile.

L'argument a du poids. Je ne veux surtout pas qu'elle se méfie.

— Il doit quand même se promener avec une carte magnétique. Il n'a pas le choix, s'il veut passer d'une section à une autre.

— Exact, dit le gros.

— Bon… Elle est loin d'être folle. Elle le verra bien faire et j'espère qu'elle aura le génie de lui piquer sa carte mais ça, je n'ai pas beaucoup de problèmes avec ça. Espérons juste qu'elle ne tombe pas sur des zélés. Je ne sais pas qui est ici, à cette heure-ci, à part le garde.

— Facile à savoir, dit Claude. Passe-moi le téléphone.

Il fait le code de la centrale de sécurité et obtient une réponse immédiate.

— Salut, Toto. Tu peux me dire si le capitaine Marcil est là, ce soir ? Et Tony ? Oui, oui, Tony Jones ? Non plus. Qui est-ce qui reste ? Personne ? Bon, ça me pose un problème parce qu'il faut que j'aille dans le bureau du patron… Oui, oui, le grand patron. J'ai besoin d'un dossier. Comment ça, pas question ? Pourquoi ? Je le sais que je ne suis pas d'un grade suffisamment élevé mais j'ai quand même un code de sécurité ! Bon, bon, pas besoin de gueuler…

Gerbier dépose le téléphone et nous regarde en souriant.

— Tous pareils, ces gardes… Beaucoup plus militaires qu'autre chose. Enfin, vous avez compris ? Nous sommes seuls. C'est déjà ça…

— OK. Maintenant, allons-y.

Je reprends le combiné et compose de nouveau le numéro de la sécurité. Il doit trouver que nous charrions cette nuit, le gardien. Deux coups de téléphone en moins de deux minutes, voilà qui est beaucoup trop. De sa voix enrouée d'un sommeil rêvé, il m'explique qu'il ne comprend pas pourquoi Gerbier l'a dérangé puisque je suis là et que j'ai, à cause de mon grade et de mon code de sécurité, accès aux dossiers du grand boss. Je lui précise que Gerbier ne m'a parlé de rien et je le remercie du renseignement tout en l'assurant que depuis un certain temps je trouve mon collaborateur un tantinet étrange. Enfin, je termine en lui signalant que je veux voir la prisonnière dans mon bureau dans la minute qui suit la fin de notre communication.

Il négocie deux minutes de plus pour se donner le temps de se rendre au cachot et il raccroche, tout joyeux. Je lui ai donné de l'importance en le remerciant de ses interrogations sur Gerbier. J'espère seulement que, demain matin, il ne me poursuivra pas partout dans Montréal pour me remercier du cadeau de Grec qu'il s'apprête à recevoir.

— Et nous, on sort comment ? demande le gros.

— Avec ta carte, hé, patate !

Gerbier et le gros disparaissent pendant que je me penche sur les écrans de surveillance, dans le hall. Je vois le garde sortir Annette de la cellule. Il lui demande de se tourner vers le mur pour lui mettre des menottes. Pas con, ce garçon… Mais elle est trop rapide pour lui ou alors il ne se méfiait pas suffisamment. Je la vois se retourner vivement alors que son talon atterrit sur une des clavicules du garde qui, du coup, plie les genoux, ce qui lui vaut une autre savate en pleine figure. Quelque chose me dit qu'il va m'en vouloir plus que je ne l'avais prévu.

Sachant qu'Annette ne tardera pas beaucoup, je regagne mon bureau d'où je peux voir l'extérieur.

La nuit est claire et chaude. Il y a encore des fêtards qui font un peu de tapage au bout de la rue mais la ruelle dans laquelle se trouve notre bureau est absolument déserte. Il faudra attendre que la belle ait atteint une des grandes artères pour nous mettre en marche.

Des yeux, je cherche le gros. Il a complètement disparu. Pas à dire, la filature c'est son fort. Jamais compris comment un si gros type pouvait disparaître presque complètement quand il le veut. J'ai beau chercher, je ne le vois nulle part.

L'attente est courte. Annette apparaît dans les escaliers extérieurs. Elle balance un carton blanc, probablement la carte magnétique du garde. Elle est curieuse à voir dans sa robe trop grande maintenant qu'on lui a enlevé ses bourrures et avec ses poignets enrubannés de gaze.

Au bas des marches, elle jette de chaque côté un regard anxieux. Comme je m'y attendais, elle prend la rue dans le sens contraire à la circulation. Ainsi, elle oblige celui qui voudrait la suivre à faire un énorme détour s'il ne veut pas se faire immédiatement repérer.

Je lui laisse prendre de l'avance et je rejoins Claude dans la bagnole. Les yeux rivés au rétroviseur, je ne démarre pas encore, attendant qu'Annette s'éloigne.

— Elle connaît son travail, apprécie Claude.

J'ai beau scruter par la lunette arrière, je ne vois toujours pas le gros. Même si j'admets que c'est un as de la filature, j'ai le sentiment que cette grosse pomme s'est endormie. Une ombre qui bouge à proximité du bâtiment dément mon impression. Il vient d'entrer en action et suit Annette à distance respectueuse. Le seul problème, c'est qu'elle prenne un taxi et ne le sème avant qu'on ne puisse arriver sur Saint-Laurent. Elle a fait un peu plus de cent mètres et se prépare à tourner le coin quand je démarre et gagne le boulevard. Elle vient à peine d'y déboucher et je continue ma route pour me stationner plus haut, en plein sous les néons des restaurants chinois.

Dans le rétroviseur, au loin, j'aperçois une silhouette qui me semble être celle du gros. Il me semble tout près d'Annette. Il a dû constater lui aussi qu'elle était trop près car il se met à tituber comme un ivrogne, ce qui ne lui est pas trop difficile pour le moment. Il passe d'autant plus inaperçu que ce quartier de Montréal réunit tous les intoxiqués de la métropole à cette heure de la nuit. Il la dépasse et entre en caracolant dans un resto.

Après s'être arrêtée quelques secondes, elle poursuit sa route en venant vers nous. Visiblement, elle tente de héler un taxi. Je me demande comment elle a l'intention de payer la course.

Mais ce problème n'a pas l'air de l'embêter. Elle finit par en arrêter un et y monte le plus naturellement du monde. Le taxi nous double et, après avoir laissé passer quelques voitures, je le prends en chasse. Comme elle jette de fréquents regards en arrière, je double le taxi par la droite en prenant bien soin de laisser une voiture entre nous.

On arrive au boulevard René-Lévesque quand je vois les clignotants du taxi indiquer qu'il tournera à droite. Je fais de même et je me range sur la droite de l'artère, question de lui laisser quelques longueurs d'avance.

Le taxi roule dans la voie de gauche et, rapidement, dépasse l'hôpital Saint-Luc avant de tourner à gauche sans prévenir sur Berri. Mériterait un ticket pour celle-là, lui ! Sa manœuvre m'oblige à accélérer et à emprunter la rue suivante, Saint-Hubert, pour remonter en catastrophe sur Maisonneuve où je tourne à gauche. Heureusement, on est sortis de la zone turbulente, de sorte qu'il n'y a personne dans la rue. À l'angle de Berri, je vois le taxi s'immobiliser devant l'entrée latérale du terminus d'autobus, derrière quatre autres boîtes qui attendent des clients. Je stationne et j'arrête le moteur.

— Elle va pas se pousser en autobus, non ? demande Gerbier.

— Va voir.

— Mais elle me connaît comme si elle m'avait tricoté ! Ça n'a pas de bon sens !

— Tu as autre chose à proposer ?

— Non, hélas…

— Je t'attends devant son taxi. Un peu plus haut. Elle lui a dit d'attendre, c'est plus qu'évident.

En maugréant, Gerbier sort de la voiture et s'approche de la porte vitrée où il reste un instant.

Moi, je vais stationner la bagnole devant le taxi, plus haut, presque à la réception des colis, ce qui laisse une dizaine de voitures entre le taxi et moi. Les nombreuses patrouilles de police qui se promènent lentement m'indiquent que le chauffeur ne prendra pas le risque de faire demi-tour sur Berri s'il doit se diriger de nouveau vers le bas de la ville. Il va plutôt respecter le code ce qui signifie qu'il doit donc passer près de moi.

Mon bras recommence à se faire sentir mais la douleur est tolérable. Tout au plus un élancement se manifeste de temps à autre.

Je grille une cigarette, puis une deuxième en me disant que le temps file et qu'il doit s'être produit quelque chose quand je vois Gerbier arriver au pas de course.

— Elle revient !

Le chauffeur qu'elle a arrêté sur Saint-Laurent est hors de sa voiture et arpente le trottoir en jetant régulièrement des coups d'œil à l'intérieur du terminus.

— C'est elle…

Sur le trottoir, une élégante femme vêtue d'un jean extrêmement moulant s'avance, les épaules et les bras recouverts d'un cardigan clair, les cheveux sur les épaules.

— C'est elle ? dis-je, incrédule.

— Hé oui, mon cher. Cette petite a bien des ressources. Elle avait un sac au dépôt. Elle est allée le chercher et s'est dirigée vers les toilettes pour se refaire une beauté. Quand elle en est ressortie, elle était éblouissante. Plus rien à voir avec la pauvresse qu'on suivait tout à l'heure.

Elle remonte toute la file de taxis, passe indifféremment devant le chauffeur qui l'attend toujours et se rend à la toute première voiture. Quelques secondes plus tard, le taxi quitte la file et remonte Berri jusqu'à la première rue sur laquelle il tourne à gauche. Il descend ensuite la rue Saint-Denis où plusieurs jeunes s'attardent encore, malgré la fermeture de tous les bistros ou presque.

On fait un bout de chemin comme cela jusqu'à René-Lévesque où le taxi tourne à droite et file vers l'ouest. Au Complexe Desjardins, le taxi tourne de nouveau à droite. On gagne rapidement la montagne.

— S'il faut qu'elle quitte l'avenue du Parc pour se diriger vers Outremont, la filature va devenir évidente, signale Claude.

Je le sais. Dans ce quartier il y a des arrêts à tous les coins de rue. Pourtant, on ne peut pas se permettre de la perdre.

Annette semble maintenant en confiance puisqu'elle ne se retourne que rarement. La circulation, pour l'instant, est encore assez importante pour qu'elle ne nous remarque pas plus que les autres. Le chauffeur, quant à lui, ne doit pas faire attention. Il n'a, théoriquement du moins, aucune raison de se méfier.

Contrairement à nos craintes, la filature dans Outremont se déroule bien. J'ai laissé beaucoup d'avance au taxi, ce qui ne constitue pas un risque à cause du peu de circulation dans ce quartier huppé.

À un certain moment, il tourne à gauche. Comme il y a un stop à chaque coin, j'ai le temps de juger si nous devons continuer ou tourner.

Le taxi est à peine à une trentaine de mètres du coin et il se prépare à redémarrer pendant qu'Annette gravit les marches de la maison. Un immense frisson me parcourt l'échine. Elle monte chez Micheline !

J'appuie sur l'accélérateur et je gare la voiture un peu plus loin. Au moment de sortir, le téléphone de Claude sonne.

— Gerbier, répond machinalement Claude.

— Claude, qu'est-ce que je fais ? bafouille le gros. Je peux quand même pas vous attendre toute la nuit.

— Attends, je te passe Max. C'est Bouboule…

— Salut ! J'ai besoin de toi. Amène-toi ici, avec des hommes et de l'artillerie. Discrètement. On est au coin de Mayfair et Maplewood. Discrètement, je te dis…

— Mais je suis seul dans la cabane.

— Utilise le canal habituel et demande l'escouade tactique en leur disant de s'installer un peu plus loin et de nous envoyer des types en civil, pour l'instant.

— OK. À plus…

Je raccroche. Gerbier me regarde étrangement.

— L'escouade tactique ? On a besoin de ça ? Pourquoi ?

— Tu vois la maison où elle est entrée ? C'est celle de Micheline.

— La fille avec qui tu étais au Sofitel l'autre soir ?

— Exactement. Tout à fait celle-là…

CHAPITRE 14

On laisse passer une quinzaine de secondes sans rien dire.

— Tu crois qu'elle a quelque chose à voir avec cette histoire ?

— Maintenant, oui.

En moi monte une espèce de voile rouge. La colère me gagne. Ce n'est pas que je crois que Miche m'ait berné, c'est simplement que je me rends compte que l'histoire a débuté beaucoup plus tôt que prévu. Chacun de mes gestes a été épié depuis ma sortie de ce foutu restaurant. Dans l'état où je me trouve, il vaut mieux prendre l'air encore cinq minutes.

— Et maintenant, c'est quoi le programme ? On attend les flics ou on joue aux troupes d'assaut tout seuls ?

Mon calme revient.

— Appelle le gros et dis-lui de faire surveiller le 112 Maplewood dès son arrivée. Nous, on y va.

— Tu penses pas qu'on a suffisamment de

problèmes depuis deux jours ? Moi, j'attendrais les renforts, dit Claude.

— Tu as peut-être raison. Oui, tu as raison mais on va y aller quand même.

— C'est pas sérieux, Max. On ne sait pas qui est là-dedans. Bon, il y a Annette et probablement ta copine. Mais ta copine, elle est avec qui ? De leur bord ? Ou c'est un otage ? On devrait l'appeler… Tu connais son numéro ?

— Par cœur, dis-je, en dépliant mon cellulaire et en composant son numéro.

La sonnerie retentit et la voix de Micheline me parvient.

— Miche, c'est Max, ça va ?

— Oui, oui, dit-elle d'une voix trop bien éveillée.

— Tu n'es pas seule ?

— Non, répond-elle laconiquement.

— Tu peux partir ?

Encore une réponse négative.

— Tu sais ce qu'elle te veut ?

— Non, je ne sais pas ce qu'ils veulent.

« Ils » ? Pearson est donc là, aussi.

— Passe-moi la fille, dis-je enfin.

Micheline n'a pas une seconde d'hésitation.

— Tout de suite, dit-elle, la voix tremblante.

La voix ferme et froide d'Annette relaie celle de Micheline.

— Bonjour ou plutôt bonne nuit, Saint-Ours. Je comprends maintenant pourquoi ça a été si facile de m'évader. Félicitations ! Que puis-je faire pour vous ?

— Me dire ce que vous voulez.

— Mais vous le savez bien, voyons.

— Pourquoi prendre cette femme en otage ?

— À vrai dire, maintenant, elle ne nous sert plus à rien et nous espérons que vous allez nous laisser partir. Nous avions fait une petite séquestration préventive ce soir, question de travailler tranquillement et de voir si les documents ne se trouvaient pas ici. Malheureusement, vous vous êtes débarrassés trop vite de ces deux idiots. C'est malheureux que vous n'ayez pas répondu au téléphone, ce soir, dans ma chambre, après que j'aie appelé Pearson. Votre petite amie vous aurait expliqué en détails qu'il valait mieux nous ficher la paix.

— Pour le moment, c'est trop tard. Rendez-vous, c'est tout ce qu'il vous reste à faire. Toutes les issues sont bloquées, la maison est cernée.

— Si on ne peut pas partir, Saint-Ours, vous

êtes aussi bien de dire adieu à votre petite amie.

J'éloigne mon appareil pour exhaler un soupir. Gerbier, en levant le nez, me demande ce qui se passe.

— Le coup classique. Ils menacent de tuer Micheline.

— Ils ?

— Pearson est là aussi.

— Passe-moi le téléphone.

Je le lui tends, le temps de retrouver mes esprits.

— Écoute, Annette, dit Gerbier, si vous descendez la fille, dis-toi bien que ça fera trois morts au lieu d'un seul.

Et il raccroche.

* * *

Je crois que je n'ai jamais été aussi en colère contre qui que ce soit. Je n'en finis pas d'enguirlander Gerbier, même devant tout le groupe de l'escouade tactique qui vient d'arriver.

D'un geste de la main, Claude parvient à stopper le flot d'injures que je lui déverse.

— Max, tu es trop embarqué. Réfléchis une seconde. Ta blonde n'a certainement pas sa liberté de mouvement. On peut même croire qu'il l'ont enfermée dans sa chambre, solidement attachée. En tout cas, moi, c'est ce que je ferais. Maintenant, dis-toi que les seuls êtres qui circuleront dans cette baraque seront Goldsberg et Pearson. Pour ça que l'escouade tactique est ici, mon vieux. Ils n'ont pas apporté des lunettes infrarouges pour rien. Quelle sorte de rideaux a-t-elle à ses fenêtres ?

— Dans le salon, si ma mémoire est bonne, il n'y a que des rideaux plein-jour. Dans la chambre, c'est une sorte de lainage et à la cuisine, c'est du coton.

Les gars de l'escouade tactique ne prononcent pas un mot. Ils calculent les chances de réussite en observant leurs confrères procéder à l'évacuation des appartements voisins de ceux de Micheline. L'officier qui dirige le groupe interroge Gerbier sur la pertinence d'appeler les négociateurs.

— On n'a pas le temps, répond Gerbier. Et puis, ce sont des professionnels qui sont là-dedans. Ils connaissent tous les trucs. On les veut vivants mais il faut que le dénouement soit rapide. Très rapide.

L'officier éclate de rire.

— OK, les gars, dit-il à sa troupe. Gaz lacrymogènes à volonté et balles de caoutchouc. Expédiez aussi du gaz paralysant. Dans chacune des fenêtres. Personne ne doit être épargné.

Son ordre est aussitôt répercuté et un peu partout on voit les tireurs changer les chargeurs de leurs fusils d'assaut. Ces hommes sont sur leur terrain et il vaut mieux que je me mêle de mes affaires. Le chef de groupe revient vers moi.

— Monsieur, voulez-vous les rappeler et leur demander de nouveau de se rendre, s'il vous plaît ? Où est le téléphone chez cette demoiselle ?

— Il y en a un dans le salon et un autre dans la chambre à coucher.

L'officier se tourne et appelle un de ses hommes, en lui ordonnant de vérifier l'emplacement des personnages dans la maison. Une minute plus tard, le walkie-talkie de l'officier grésille, un de ses hommes lui signalant qu'il ne voit que deux individus dans l'appartement.

— Bon, maintenant, monsieur, poursuit le chef de groupe en s'adressant à moi, vous les appelez et vous leur dites de se rendre. Aussitôt qu'il refuse, vous me faites signe de la main. Ils n'auront pas le temps de raccrocher que les gaz seront dans la pièce.

Je m'exécute. Pearson me répond et comme je m'y attendais, il m'annonce qu'il n'a aucune intention de se livrer. « Et je vous avertis, me dit-il en anglais, si vous envoyez les gaz, je crève la petite. »

— Alors ? me demande le chef de groupe.

— Alors, vous, vous restez là et vous ne bougez pas tant que je ne vous en donne pas l'ordre. Claude, tu peux utiliser une lunette infrarouge ?

— Sans problème.

— Alors prends une de ces carabines avec des balles de caoutchouc et tente de réduire cette ordure au silence.

— Laisse-les faire le travail. Ils sont meilleurs que moi sur ces questions.

Je me tourne vers le patron de l'escouade tactique.

— Il n'y a aucune autre solution ?

— C'est la meilleure. Les balles de caoutchouc et les gaz.

— Ils ont mis un matelas à la fenêtre du salon, grésille son walkie-talkie.

— Combien y a-t-il de matelas dans cette maison, demande l'officier, subitement sur le qui-vive.

— Il n'y en a qu'un seul. Mais elle a de gros coussins dans le salon.

— La cuisine et le salon sont séparés par une porte ?

— Non, c'est une aire ouverte.

L'officier se retourne et s'éloigne en donnant des ordres. Gerbier prend son .22 et enlève le cran de sûreté. Il s'éloigne pour se poster à peu de distance de la porte, dans un bosquet. Le gros reste avec moi.

— Ils n'ont aucune porte de sortie, murmure-t-il. Vaudrait mieux qu'ils se rendent. S'ils crèvent, ils n'auront pas plus de chance que nous de retrouver ces documents.

— S'ils se rendent non plus, fais-je remarquer.

On n'a pas le temps de philosopher plus avant. Quatre explosions simultanées viennent de se produire et les fenêtres de l'appartement de Micheline volent en éclats. Une fumée bleutée s'en échappe mais rien ne semble bouger à l'intérieur. Les maisons aux alentours s'éclairent et les fenêtres se décorent de plusieurs têtes endormies. Heureusement, l'escouade tactique a prévenu le poste de quartier qui a envoyé des patrouilleurs pour établir un périmètre de sécurité et voir à ce que personne n'intervienne dans le travail des commandos.

Les spectateurs sont disparus plus vite qu'ils ne sont apparus mais c'est certain que la centrale de police doit être submergée d'appels. Plus besoin d'être discrets.

Les pétarades des bombes lacrymogènes et paralysantes se multiplient pendant que les hommes, masques à gaz au visage, se préparent à donner l'assaut quand une détonation du tonnerre de Dieu retentit à l'intérieur de l'appartement.

Je me rue vers la maison, le gros sur les talons. Gerbier tente de me bloquer le passage mais je l'envoie sur les roses comme s'il ne s'agissait que d'un caniche. Les hommes de l'escouade tactique, eux, sont déjà à l'intérieur.

Quand j'arrive dans l'escalier, une vapeur étouffante me force à reculer. Quelqu'un m'empoigne par la ceinture et me tire vers l'arrière. C'est le gros. Mon cerveau est totalement engourdi et j'ai peine à réaliser précisément ce qui se passe. Les hommes masqués circulent autour de moi et déposent des paquets sur le gazon à mes côtés. Je vois la grosse face tuméfiée du gros au-dessus de moi. Il m'applique un petit masque sur le visage et mon cerveau se remet en marche. Légèrement étourdi, je me relève. Sur l'herbe, il y a Micheline, Annette Goldsberg et Pearson, à qui il manque une partie du bol.

Des infirmiers tentent de ranimer les deux femmes.

— Elles n'ont rien, me souffle le gros. Juste un peu gazées toutes les deux. Pour l'instant, c'est terminé.

CHAPITRE 15

La matinée est bien entamée quand je me réveille dans ce qu'il convient maintenant d'appeler mon bordel. La visite des Goldsberg et Pearson dans mon appartement ne peut passer inaperçue.

Tout a été chamboulé, mes meubles ont été mis en pièces jusqu'au dernier. Le matelas sur lequel je suis couché accepte difficilement de me loger. Mais, en s'accommodant des trous et des déchirures faites au couteau, ça peut aller.

Chez Micheline, le même traitement a été appliqué. Il ne reste plus rien de ce qui a déjà été un petit appartement coquet et chaleureux. Je dirais même que c'est pire chez elle car le feu a pris lors du lancement des bombes lacrymogènes. Son agent d'assurances va certainement faire une crise cardiaque. Le mien aussi d'ailleurs. Tant pis, ils n'avaient qu'à ne pas choisir un métier aussi éprouvant.

Micheline a été conduite à l'hôpital, en état de choc. Il est douteux qu'elle puisse sortir aujourd'hui et, avec tout ce qui est arrivé, je devrai passer le plus tôt possible pour avoir sa version des événements, si Mme Goldsberg ne me fournit pas assez de détails. Même si elle m'en fournit suffisamment, je devrai y aller de toute façon. C'est d'ailleurs là le problème : ce petit interrogatoire, après toute la tension qu'elle a subie, va définitivement foutre en l'air la relation que nous étions en train d'ébaucher. C'est la vie… C'est cette putain de vie.

Je ne prends pas de douche et je ne me rase pas non plus. Dans le capharnaüm que m'ont légué Annette et Pearson, j'aurais l'impression de ne pas être plus propre à la sortie de la douche.

Au moins, je peux récupérer quelques-uns de mes vêtements.

J'ai la mine basse quand je me pointe au bureau, ce que me fait remarquer l'agent de sécurité à qui je signale mon envie de l'envoyer se soulager les intestins.

Il rétorque qu'il ne s'agit pas là d'un langage convenable pour un officier et je n'en disconviens pas mais je m'abstiens de tout autre commentaire.

Théoriquement, je devrais aller voir le boss

tout de suite pour lui narrer mes dernières aventures, mais je m'en abstiens également. Conservateur comme il l'est, il n'accepterait pas que je me présente au rapport dans la tenue que j'arbore et, deuxièmement, je n'ai surtout pas envie de l'entendre tonitruer ou brailler, selon son humeur. Quoique pour brailler, il est souvent sur la liste des absences, celui-là.

À la place, je me fais monter mademoiselle Guet-Apens, la fille de mes rêves qui m'a valu tant de cauchemars.

Gerbier et le gros sont absents. Ils dorment. Je les comprends, je ferais bien la même chose mais les excitants que j'ai pris depuis que Lemay m'a blessé ne m'ont pas laissé dormir plus que quelques heures.

Sur mon bureau, une note de Lemieux m'explique qu'il a fait ramasser les corps de Lemay et Blanchet sur le rang de la Lune, à L'Acadie. Et qu'il a suggéré à Langelier, le patron des homicides, d'expliquer le décès des deux gars par un règlement de compte. Je les avais presque oubliés, ces deux-là. Je grimace.

Ce matin, l'humanité m'écoeure. C'est probablement dû à la tension, à ma blessure, à mon manque de sommeil, aux coups que j'ai reçus dernièrement, à la lâcheté de ceux qui disent le contraire de ce qu'ils pensent, aux moralistes toutes catégories qui hantent les officines de ce monde. Fais ceci, fais cela, faut pas faire ceci, faut pas faire cela ! Au diable ! On peut tout se permettre, sauf être amoral. On peut critiquer n'importe quoi, toutes les institutions existantes mais pas les idées de base de nos sacro-saintes sociétés… C'est pourtant par là qu'il faudrait commencer, si un jour on veut finir par avoir la paix.

En voilà une autre qui n'est pas belle à voir, ce matin : Annette. Pas maquillée, pas de sommeil, les vêtements froissés, les traits tirés. J'ai l'impression d'être devant un miroir moral. Toute la détresse exprimable, elle l'exprime. Pas une détresse totale… Simplement celle qu'on peut lire sur la face de quelqu'un qui en a plein le dos et qui veut se reposer.

— Nom ? prononçai-je très techniquement, en me saisissant d'une feuille questionnaire.

— Anny Jolia, elle siffle.

— Citoyenneté ?

— Américaine.

— Occupation ?

— Aucune.

Ça recommence. Elle ne veut plus parler. Rien à faire, il y en a qui ne comprendront jamais. Je prends le téléphone et je me renseigne sur la dame Jolia.

— Mariée ?

— Non.

— Lieu de résidence ?

— New York.

— Âge ?

— Vingt-neuf ans.

— Qu'est-ce que vous foutez dans cette galère, sacrament ?

Ma sortie la surprend un peu, mais elle ne répond pas.

— Continuons. Racontez-moi ce qui s'est produit après que vous soyez sortie d'ici.

— Je me suis rendue chez votre petite amie, Saint-Ours. Vous le savez autant que moi.

— Ce que je veux savoir c'est comment vous avez connu son adresse et de quelle manière votre complice vous y a fixé rendez-vous.

— Le soir du Sofitel. On vous a suivis. On n'avait pas trouvé les plans et on trouvait que vous apparaissiez trop souvent dans le paysage. Quant au rendez-vous, je savais que Pearson allait se rendre là pour fouiller. Quand je l'ai appelé chez votre amie, il n'a pas écouté un mot de ce que vous m'aviez demandé de lui raconter.

— Pourquoi ? Il cherchait pourtant du monde ?

— Exact. Mais le fait qu'on vous ait mis la main dessus a changé notre besoin de collaborateurs et nous avons renoncé à trouver d'autres hommes.

— Pourquoi nous avoir laissés vivants ?

— Parce qu'on n'avait pas trouvé ce qu'on voulait et qu'on n'avait pas encore fouillé votre appartement et celui de votre copine.

— Pourtant, vous avez essayé de me descendre deux fois avant de nous enfermer.

— Oui. Nos renseignements disaient que vous aviez les papiers sur vous. On a essayé de vous abattre pour pouvoir les prendre.

Il n'est pas nécessaire que je continue. J'ai tout compris : les papiers personnels de Racine que j'ai trimbalés sur moi pendant près d'une journée contiennent les précieux documents. Sous quelle forme ? Ça reste à voir.

Je donne un coup de fil à la sécurité pour qu'on ramène Miss Jolia à ses appartements et je me paie un sprint jusqu'au local de Germain.

La joie de vivre m'est revenue. Non seulement on a fini par liquider cette bande, mais en plus on s'est débarrassé de deux dangereux truands et on a probablement retrouvé les documents.

Dans son labo, Germain examine au microscope un truc tout tordu qui a déjà été une balle.

— C'est important?

Je lui désigne le bout de métal tordu.

— Non, répond-il nonchalamment, mais il faut bien s'occuper.

— J'ai un travail pour toi, dans ce cas. Tu m'examines en détail les papiers personnels de Racine. Je ne sais pas ce que je cherche. Des microfilms, une puce électronique, n'importe quoi mais quelque chose qui se cache bien. Si tu trouves, tu essaies de décoder et tu m'imprimes le tout! Compris?

— Bien sûr.

— Si tu vois Gerbier ou le gros, dis-leur que je suis à L'Étoile et que je paie les spaghettis.

Germain siffle.

— Ça doit être important, si tu payes les spaghettis! Je peux y aller?

— Après, après, dis-je en riant.

Je dévale la rue et m'engouffre dans le petit restaurant déjà bondé. En humant l'odeur des plats, je change d'idée. J'ai plutôt envie d'aller voir le patron du Trettazini. Tant pis pour mes collègues.

Quand j'arrive rue Saint-Denis, il y a une foule monstrueuse à l'intérieur du restaurant. Il y a même, et c'est pratiquement impossible à voir à Montréal, sauf devant les night-clubs, une queue de badauds qui attendent pour manger « là » où il y a eu le carnage. Tous des assassins sans victime ! En bout de ligne, pour mon Italien, c'est payant, cette petite histoire de meurtres.

La presse lui a accordé la vedette, attirant chez lui tous les charognards qui ne savaient pas quoi faire de leur corps, tous espérant apercevoir quelque chose de spécial, tous présents pour se trouver un sujet de conversation.

Je remonte la file sous les protestations véhémentes de ceux qui font le pied de grue. Un petit mec à l'air fendant me met la main sur la poitrine quand je me présente à la porte. Je lui apprends mon statut professionnel et il se met à hésiter. J'en profite pour le repousser. Il me laisse passer.

À l'intérieur, mon gros Italien est plus luisant que jamais. Il se promène dans un costume trop petit tout en arborant son dentier devant tous ceux qui veulent bien lui accorder de l'attention, et ils sont nombreux.

Il est interpellé de tous côtés et raconte son histoire avec force détails en n'oubliant jamais, bien entendu, de déclarer que c'est d'une tristesse effarante, que nous vivons dans une époque bien violente et que, de son temps, on savait se contenir. Le pire, c'est qu'il est incapable de retenir son sourire qui lui étire la bouche d'une oreille à l'autre. Chaque fois que la caisse se fait entendre, ses grosses fesses se trémoussent.

Je remarque également qu'il a embauché du personnel, outre le portier. À la caisse, une dame au dessous de nez velu examine méchamment chacune des factures qu'on lui tend. Puis, une fois qu'elle a refait l'addition et constate qu'il n'y a pas d'erreur, son visage se transforme en véritable ampoule électrique souriante. Je la soupçonne fortement d'être la compagne de lit du proprio. Ils ont un je-ne-sais-quoi de partagé.

L'Italien me voit enfin.

— Vous ! Vous !, répète-t-il comme une liturgie. Quel bonheur de vous revoir !

Il change tout de suite de sujet en me cherchant une place qui ne figure plus dans sa salle.

— Alors, je vous donne la petite particulière.

— Mais, dis-je innocemment, je ne suis pas venu ici pour les femmes…

Il rigole douloureusement en glissant un œil inquiet vers la caissière. J'avais raison en me disant que c'est sa grosse. Elle est tellement occupée à compter le fric qu'elle n'a rien entendu. Soudain rassuré, l'Italien m'explique que la «particulière», c'est une pièce qu'il garde pour les amis. Il écarte un rideau flanqué d'une affiche marquée «privée» et me montre une garde-robe qui contient une table et quatre chaises. Avant de retourner à ses clients, il me supplie de ne plus faire d'allusion aux femmes devant la caissière.

— Vous comprenez? Puis il se fend d'un sourire qui lui colore les joues et lui étire les yeux au point qu'ils disparaissent.

Je hoche la tête. À voir la belle, je comprends qu'il aille promener Sylvain ailleurs. Vient une époque où l'homme est placé devant un choix. Ou il roule en Mercedes ou il roule en Volkswagen. La mode est à la Volkswagen super-économique mais parlez-en à ceux qui roulent en Mercedes. Demandez-leur ce qu'ils en pensent. Mon Italien, il n'est peut-être pas encore en Mercedes mais il a tendance à laisser la Volks au garage. C'est aussi ça, la vie. Tout finit par être lassant. Même l'amour de nos vingt ans. D'ailleurs, quand elles sont agréables, les amours de nos vingt ans, c'est parce qu'elles n'ont pas duré vingt ans, justement. Autrement, ce qu'elles deviennent emmerdantes nos amours, avec le temps !

Mon gros wops est toujours là à me couler un sourire entendu. De la main, je lui fais signe que je ne suis pas un traître et que je comprends les élans prostatiques. Néanmoins, je le défrise.

— Envoyez-moi un petit carbonara, un demi-litre de rouge et le serveur qui s'occupait de leur table cette journée-là. Je veux lui parler. J'en ai pour une quinzaine de minutes.

Il est effaré. Il n'y a pas d'autres mots. Effaré. Ses amours illicites, il se les place maintenant au même endroit que moi.

— Mais, glapit-t-il, vous n'y pensez pas ! Avec tous les clients qu'il y a, je ne peux permettre l'absence de qui que ce soit.

Je hausse les épaules, question de démarquer clairement nos situations respectives.

— M'en fous de votre business. Envoyez-moi

un carbonara, un demi-litre de rouge et le serveur. Avec deux verres qu'on puisse causer entre hommes.

Il murmure quelque chose en italien. Il est plus rouge que sa sauce tomate. Je suis convaincu que ce qu'il dit n'est pas du tout gentil pour moi mais comme je ne comprends pas sa langue, je lui accorde en souriant le bénéfice du doute.

Deux minutes après, le serveur arrive avec le demi de rouge et deux verres. Il dépose ça sur la table et se dandine une seconde.

— Assieds-toi.

— Paraît que vous avez besoin de moi deux minutes m'a dit le patron.

— Ça prendra le temps qu'il faut.

— Mais si ça dure plus longtemps, je vais perdre mon travail.

De toute évidence, le garçon est terrorisé. La syndicalisation du monde hôtelier n'est pas très répandue et il a peur. Dans cette situation, je n'en tirerai rien. Je dois le rassurer.

— Prends un verre de rouge, ça te calmera un peu.

Timidement, il se verse une gorgée. Pas même de quoi donner le tournis à un gamin de dix ans. C'est un cave ce type-là. De sorte que je n'ai pas le choix.

Je tire le rideau et j'appelle bruyamment le patron qui trottine jusqu'à moi.

— Hey, mon gros, j'avais demandé quinze minutes avec ce monsieur. Pourquoi as-tu transformé ça en deux minutes ?

Ses yeux s'injectent subitement. S'il le pouvait, il ferait subir à son serveur le sort que ses trois clients de l'avant-veille ont subi. Il proteste qu'il n'a jamais dit ça, qu'il y a un malentendu.

— Écrase et fous-nous la paix. Si tu as le malheur de venir me déranger pendant ma conversation, j'embarque tout le personnel, toi compris. Si jamais j'apprends que ce petit gars a eu des problèmes à la suite de notre entrevue, je te colle le fisc, l'alcool et le salaire minimum au cul ! Compris ?

De rouge, il est devenu vert. L'administration doit être plutôt bizarre ici pour qu'il réagisse ainsi. Comme beaucoup d'autres, il doit faire apparaître des chèques dans ses livres, des chèques qu'il ne donne jamais, et il doit obliger ses travailleurs à vivre de pourboires. Comme ce n'est pas obligatoire, ils doivent avoir des semaines de vaches maigres.

Pour le serveur, ce ne sera pas le Pérou après notre entrevue et je me doute que le patron va lui faire la vie dure mais je ne peux pas en faire plus.

— Prends un verre.

Il obéit.

— Tu te rappelles la journée du meurtre ?

— Plutôt difficile d'oublier.

— Alors, décris-moi la salle, cette journée-là…

Il fronce les sourcils comme s'il cherchait quelque chose de spécial.

— Ben... Le gars est entré…

— Non, non, le coupai-je, je ne veux pas avoir le film des événements. Je veux juste que tu me décrives qui était dans la salle, dans ta section principalement. Tu t'en rappelles ?

De nouveau, il adopte une mine pensive. En espérant que la mémoire lui revienne, il suce son verre en fixant le rideau qui nous sépare de la salle.

— Dans ma section, commence-t-il, c'était complet. Ou presque. La plus petite table, c'est justement celle où tout le monde a été descendu. J'avais deux tables de quatre, à part celle-là.

— Essaie de te rappeler à quoi ressemblaient les autres clients.

— La première table, recommence-t-il.

— Attends, attends, dis-je en lui tendant un stylo. Fais-moi un dessin de la disposition de tes tables sur le napperon.

Il dispose trois cercles sur la même ligne. Le cercle de l'extrême droite représente la table de Racine.

— Alors ici, dit-il en désignant la table totalement à l'opposé, il y avait des clients réguliers. D'ailleurs, si vous voulez les voir, ils sont ici ce midi. À la table du centre, il y avait trois femmes et un homme. Je connais ce client mais je ne connais pas les femmes.

— Comment étaient-elles, ces femmes ?

— Deux grosses et une petite pas très jolie, si je me rappelle bien.

— Qu'est-ce qui est arrivé au moment de la fusillade ?

Il hésite une grosse seconde. J'ai la conviction qu'il s'est planqué comme tous ceux qui pouvaient le faire. Pourtant, il plisse beaucoup trop le front pour quelqu'un qui n'a rien vu.

— La petite, elle est restée sur sa chaise. Je me rappelle, quand le gars sortait, elle avait encore la serviette à la bouche.

Il fait un effort.

— Le client non plus n'a pas bougé. Après, il a dégueulé tout ce qu'il avait avalé, l'enfoiré.

— Les grosses, qu'est-ce qu'elles ont fait ?

De nouveau, il fronce les sourcils.

— Il y en a une qui a piqué une crise d'hystérie mais l'autre, je ne parviens pas à me rappeler de ce qu'elle a fait.

— Tu la reconnaîtrais ?

— Non, je ne pense pas. La seule chose dont je me rappelle, dit-il en sifflant son verre, c'est qu'elle était plutôt belle pour une femme grassette d'une quarantaine d'années.

Je plonge la main dans ma poche pour en tirer mon portefeuille et je lui balance la photographie de cette chère Annette.

— Tu crois qu'elle aurait pu ressembler à ça, à vingt-cinq ans ?

La prunelle inquisitrice, il parcourt de bas en haut et de long en large le portrait-robot de ma petite femme préférée.

— Peut-être, avance-t-il prudemment. Je ne pourrais pas le jurer. Vous savez, les gens changent en une quinzaine d'années.

— D'accord, mais tu peux leur trouver un

air de famille ?

Il étudie de nouveau la photographie.

— Peut-être, peut-être les yeux mais pas plus. Et encore, je ne suis sûr de rien.

— Où était-elle assise, cette grosse dame ?

Sur son petit dessin, il me montre la chaise voisine de celle de Rougier. En ce qui me concerne, mon idée est faite. C'est Anny Jolia qui était là et qui a piqué la serviette aussitôt que Pearson a liquidé son monde. Dans la panique qui s'est ensuite installée, elle n'a eu qu'à faire comme la plupart des clients, c'est-à-dire quitter la place en criant et en n'oubliant pas d'apporter la précieuse mallette… vide.

Le carbonara se fait attendre. Je le fais remarquer au serveur qui s'empresse d'aller chercher le matériel pendant que je cherche le patron. Je continuerai ma conversation avec le garçon pendant qu'il me fera la popote.

J'attrape mon bouffi à la caisse. Un sourire lui fend la figure en m'apercevant et il joint les doigts pour me parler en dansant d'un pied sur l'autre.

— Patron, la journée du crime, il y avait quatre personnes à la table voisine des morts. Sont-elles toutes arrivées en même temps ?

Il me prend par le bras pendant que sa physionomie devient sérieuse. D'une pression de la main, il m'indique de reprendre le chemin de ma case particulière.

Une fois arrivé, il tire le rideau et jette un coup d'œil soupçonneux vers la caisse. Rassuré, il se retourne vers moi, tout sourire.

— Je me rappelle bien, me gazouille-t-il, il y avait cette dame un peu… ronde, dit-il en précisant l'endroit des rondeurs d'un geste des mains. Je l'ai placée moi-même à cette table. Elle était seule et je ne voulais pas au début mais elle a insisté. Quand la salle a été pleine, je lui ai demandé la permission d'installer d'autres clients à sa table et…

— Elle a accepté ça ? Pas très courant, à Montréal, ça…

— Si, si, elle a accepté. Très gentiment, même …

— Merci, votre témoignage m'est précieux.

Si je le laisse aller, il est capable de me raconter les hauts et les bas de sa vie sexuelle et pourquoi il les aime rondes. Le serveur revient avec les ingrédients nécessaires à la préparation de mon plat et pendant qu'il s'affaire, on parle des meurtres. Il ne m'apprend rien de nouveau.

Tout ce qu'il sait, il l'a déjà dit aux flics et aux journalistes.

— Tu parles anglais, je laisse tomber comme ça, question de meubler la conversation.

— Oui, me répond-il sur le même ton. Vous voulez savoir de quoi ils parlaient ?

— Si tu t'en souviens…

— Bof, ils avaient une conversation tout à fait banale. Comme la plupart des gens, ils parlaient de leurs petits bobos. Je me souviens que l'Américain du consulat demandait à l'autre quand il devait se faire opérer. Pour le reste, c'était encore plus ordinaire comme conversation. Vous savez, ils n'avaient pas réellement l'air d'être copains-copains et ils ont assez peu parlé.

Ça non plus, ça ne m'apprend rien. Mon carbonara est balancé de la poêle à l'assiette que le garçon me tend aussitôt.

— Vous avez encore besoin de moi ? demande-t-il.

J'ai beau chercher, je ne vois pas ce qu'il pourrait m'apprendre de plus. Je lui fais signe que non et il se tire pendant que j'attaque mes pâtes. Je me suis fait des illusions sur les dangers qu'a ce garçon de perdre son emploi.

Quand un type fait un carbonara comme celui-là, on le respecte. C'est pas de la cuisine, ça, c'est de l'art.

J'engouffre le tout et je me dirige vers la caisse après avoir laissé un généreux pourboire sur la table. Le patron refuse de me faire payer et, comme je ne veux pas discuter, j'accepte. Il m'emprisonne la main droite jusqu'à ce qu'on arrive à la porte tout en m'assurant que je serai toujours le bienvenu dans son bistro. Il espère que j'y amènerai mes amis. Une clientèle comme la vôtre, précise-t-il, est très recherchée. C'est vrai que lorsqu'on adopte une taule, les truands ont tendance à faire de l'air, ce qui doit plutôt faire son affaire.

CHAPITRE 16

Arrivé au bureau, je me dirige directement vers le labo de Germain. Comme j'entre en coup de vent il n'a pas le temps de cacher sa petite bière et c'est tout confus qu'il tente de m'expliquer qu'il n'a pas pu sortir pour dîner et que…

— Coupe ça, Germain !

— Max, pour revenir au boulot, fait-il soulagé, j'ai inspecté tous les papiers des gars, particulièrement ceux de Racine et Rougier. Il n'y a rien. Pas de puces, pas de microfilms. J'ai tout examiné, avec une caméra macro, avec des éclairages luisants, il n'y a rien. Rien du tout.

Il me taperait dans le front avec un marteau que je ne serais pas plus abasourdi.

— Tu es bien sûr ?

— Certain ! Je peux recommencer, si tu veux.

— Non, je te fais confiance.

Je regagne mon bureau à pas lents, déçu. Je croyais avoir réglé l'affaire mais tout reste en plan. Je commence à me demander si Racine n'aurait pas fait un gigantesque bluff à ses anciens employeurs mais je sais que ce n'est pas possible. On ne rançonne pas le gouvernement américain sur du bidon. De toute façon, le gars avait une certaine réputation et, comme espion indépendant, je ne crois pas qu'il ait pu se permettre de bluffer ses clients. Non seulement c'est trop dangereux mais en plus, un coup comme celui-là, si ça se sait, toutes les portes se ferment.

Il y a quelque chose qui me manque mais je ne sais pas quoi exactement. Ou alors je connais ce détail mais je ne m'y attarde pas. En bout de course, le résultat est le même.

Le gros et Gerbier m'attendent dans le bureau.

Gerbier a encore les yeux gonflés de sommeil et la prune que Mlle Jolia lui a faite commence à tirer sur le jaune. Quant au gros, impossible de dire comment il est en se fiant à son visage massacré mais les deux ont l'air d'être de bonne humeur.

— Max, il y a une note qui t'attend à l'Étoile. Tu as offert le spaghetti alors, comme tu ne revenais pas, on s'est permis… Dis donc, poursuit-il, ça n'a pas l'air d'aller…

— Il y a de quoi. Je croyais avoir mis la main sur ces maudits documents et je me suis finalement fourré un doigt dans l'œil jusqu'au coude. Bon, on va rappeler Mlle Jolia et lui demander de nous éclaircir quelques détails et de nous dire, par la même occasion, où elle pense que les documents peuvent être cachés. Bouboule, tu t'occupes de l'interrogatoire mais je ne pense pas qu'elle conteste bien longtemps. On a reçu des renseignements à son sujet ?

— Non, il n'y a rien pour l'instant. On attend la réponse des Américains, précise Gerbier.

— Bon, faites-la venir.

Le gros attrape le combiné et appelle la sécurité. Il passe l'ordre puis semble soudain très surpris. « Ha bon ! » termine-t-il avant de raccrocher.

— Tu le croiras si tu veux, Max, mais le boss a fait relâcher la fille…

De plus en plus débile, ce dossier. S'il faut que le boss se mette à divaguer en plus, on n'est pas sorti du bois.

— Où est-elle maintenant ?

— J'ai pas demandé, admet le gros tout aussi catastrophé que je le suis.

J'attrape mon téléphone et je compose le numéro du bureau du patron. Sa secrétaire, toujours aussi avenante, me signale qu'il est là et je lui dis que j'arrive. Il faut qu'elle me ménage une entrevue expresse avec le patron.

Ça me fait mal aux couilles, cette histoire ! Qu'est-ce qui lui a pris au bonhomme de remettre la fille en circulation ? Elle était notre dernière ressource. S'il veut une démission, il va la recevoir, avec un cadeau-prime de mon cru, en plus.

Quand j'arrive dans son antichambre, la secrétaire me montre sa porte du pouce. J'ai le feu vert.

Malgré ma rage, j'entre doucement, tentant de maîtriser chacun de mes gestes. Cependant, je serre tellement les mâchoires que j'en ai mal aux maxillaires. Le bureau est glacialement propre et rangé, comme d'habitude, mais le boss est installé dans un fauteuil, souriant, calme, détendu. En face de lui, Anny Jolia, remaquillée, fraîchement habillée, sirote ce que je soupçonne être un scotch. Elle aussi sourit. Mon entrée n'a pas rompu le charme mais la fille devient sérieuse.

— Salut Saint-Ours, me lance gaiement le

patron. Prenez un siège. Peut-être voulez-vous un whisky ?

C'est la première fois que Manitou m'offre un petit alcool. Je suis entré en colère mais maintenant, cette rage se transforme en curiosité. Malgré cela, je ne parviens pas à effacer ma frustration.

— Volontiers, monsieur. Dans un grand verre avec beaucoup de scotch, peu de glace. Je crois que je vais en avoir besoin. Par la même occasion, versez-vous en un, vous aussi allez en avoir besoin.

Cette réponse ne manque pas de faire son petit effet. Le faciès de bonne humeur du patron s'efface pour laisser apparaître le masque glacial qu'il affiche habituellement.

Il m'envisage maintenant d'un œil coléreux. Pas croyable comment une petite phrase peut modifier l'attitude des gens.

— Êtes-vous devenu fou, Saint-Ours ? dit-il tranquillement en détachant ses paroles.

Je réponds sur le même ton. Après tout, j'arrive à l'échéance qu'il m'a fixée et je n'ai vraiment plus rien à perdre.

— Non, monsieur, je n'ai pas perdu la tête mais je pense, par contre, que vous, vous l'avez complètement perdue.

Il se lève, se dirige vers le bar, prend deux verres, y laisse tomber des glaçons, s'empare d'une bouteille de Chivas et y verse des doses pour hommes en santé.

— Je peux avoir votre peau, Saint-Ours.

— Pas nécessaire. Vous n'aurez pas le temps. J'ai l'intention de me mettre en congé dans dix minutes, aussitôt que vous m'aurez dit ce que cette fille fait dans votre bureau, je lance rageusement.

Il se tourne vers moi, les deux verres de scotch en mains, une lueur de malice au coin des lèvres.

— Vous avez un maudit caractère, Saint-Ours. Vous n'êtes jamais capable de fermer votre grande gueule quand il y a un problème. Pas très bon pour l'avancement, ça.

— M'en fous !

— On dit toujours ça. Mais vous n'aurez pas besoin de me donner votre démission et je n'ai pas, non plus, l'intention de demander votre révocation. En conséquence, maintenant que vous savez que vous êtes maintenu en service, veuillez reprendre une attitude plus convenable.

Curieusement, ça ne me fait aucun plaisir cette nouvelle-là. Le bonhomme ne sait pas encore qu'on n'a pas les documents et quand il l'apprendra, le jeu recommencera. Malheureusement, je n'ai plus envie de jouer.

— Alors ? balançai-je.

— Je vous ai dit de changer de ton, Saint-Ours.

Il attend une réponse qui ne vient pas. Constatant le fait, il enchaîne.

— Mademoiselle travaille avec nos services… Enfin, pas véritablement les nôtres mais, si vous voulez, une agence du même genre que la nôtre. Elle appartient au Scientific and Social Intelligence Agency, un truc dans le genre de l'OTAN mais qui ne regroupe que le Mexique, les États-Unis et le Canada. Elle est arrivée dans cette histoire parce qu'elle connaissait bien Pearson et que ce dernier, ne soupçonnant pas la nature de son travail, l'a invitée à prendre part à une petite opération qui consistait à faucher les documents de Racine, un de ses anciens amis, et à les vendre à sa place. On sait comment la chose a tourné…

Je suis assez surpris mais je ne laisse rien paraître. Cette fille peut appartenir au service qu'elle veut, il n'empêche que j'ai une assez longue liste de griefs à son endroit.

— Puisque vous parlez des documents, monsieur, je vous signale qu'on ne les a toujours pas. J'ai bien peur que la compagnie d'assurance ne continue à faire pression et je crains également qu'elle ne soit obligée de payer.

Ça jette un froid. J'en profite pour en apprendre plus.

— Mlle Jolia, si c'est votre vrai nom et si vous faites partie du même club que nous, vous allez m'expliquer certaines choses : je voudrais savoir pourquoi vous avez essayé de me descendre. À deux reprises… Je veux aussi savoir pourquoi Longtin a été abattu et, enfin, vous allez me dire comment Pearson est mort et vous allez m'expliquer pourquoi vous n'avez jamais tenté de nous prévenir.

Le boss s'est renfrogné. Il s'est écrasé dans son fauteuil et ne dit pas un mot. L'air tout songeur, il réfléchit sûrement à ces maudits documents.

La fille, toujours bien affalée dans son divan, est aussi perdue dans ses pensées. Ça leur donne un coup d'apprendre qu'on n'a pas les papiers. Mais, enfin, elle se décide à me répondre.

— Je vais tout d'abord répondre à votre dernière question. Je ne vous ai jamais prévenus parce que j'ai toujours cru que vous étiez des flics, jusqu'au moment où vous m'avez fait le coup de la lampe de chevet. Là, j'ai compris à qui j'avais affaire. Je me suis rachetée en éliminant Pearson au moment où l'assaut a été lancé contre l'appartement de votre copine. Pearson était prêt à liquider tout le monde et à tout tenter pour s'en sortir. Je l'ai abattu. Et je pense que vous m'en devez une autre…

— Comment ça?

— Quand je vous ai fait conduire à la maison de campagne, je vous ai maintenu en vie en prétextant qu'on pourrait peut-être vous faire parler si on ne trouvait pas ce que nous cherchions dans votre appartement ou dans celui de votre copine. Vous avez réussi à vous sortir de là, tant mieux. Je ne sais pas comment mais c'est bien.

— Vous étiez sous surveillance. Un de nos hommes vous a filés pendant que vous nous emmeniez à la maison. Quand vous êtes repartie avec vos deux singes, il est venu nous sortir de là.

— Bon, bon souffle-t-elle de son accent

pointu. En ce qui concerne Longtin, il était sur les talons de Pearson depuis l'affaire du restaurant. Pearson l'avait repéré et il a décidé de s'en débarrasser. Quant aux tentatives de meurtre sur votre personne, c'est aussi facile à expliquer : Pearson, après avoir envoyé deux de ses hommes chercher les effets personnels des victimes et s'être rendu compte qu'il n'y avait rien, a appris que vous aviez les documents personnels des trois types avec vous. Il était convaincu que vous saviez ce que transportait Racine et que vous gardiez ces documents pour en tirer profit. Il était aussi certain que vous les aviez cachés quelque part et, d'après lui, ça ne pouvait pas être au bureau, le risque étant trop grand que quelqu'un les trouve et les remette à votre morgue, avec le restant du dossier. Quand je vous ai vu à l'hôtel avec votre petite amie, j'ai signalé votre présence à Pearson. Par la suite, on vous a filés et on a eu son adresse. Quant à vous, de vous voir disparaître du paysage nous permettait d'avoir les coudées franches. J'avais dit à Pearson que vous aviez un ami qui a une sale tendance à toujours avoir une arme à la main. Il attendait d'être sûr de vous voir hors de combat pour passer chez vous, en toute tranquillité. Ce qu'il a fait, d'ailleurs, quand vous étiez à la campagne.

Mon scotch s'est refroidi considérablement mais le niveau n'en a presque pas baissé. Je le tiens entre mes doigts en oubliant qu'il est là. Le boss non plus ne sirote pas son verre. Lui, il n'est simplement plus là. Il se fout de ces explications comme de sa première carie.

— Pourquoi, alors, être allé chez Micheline tout en sachant que vous étiez entre nos mains ?

— Parce qu'il savait qu'il avait du temps, que je vous ferais marcher un moment.

— Pourquoi ne pas nous avoir prévenus à ce moment ?

— Je venais de réaliser que je n'avais pas affaire à la police mais je ne savais pas à qui j'avais affaire. Et puis, j'étais certaine que vous étiez des ripoux.

— Pourquoi Pearson est-il resté aussi longtemps à l'appartement de Micheline ?

— Il n'avait rien trouvé ni chez vous, ni chez elle. Il a tenté de la faire parler mais comme elle ne savait rien, elle ne pouvait rien dire. Pearson, je crois, s'est obstiné à croire qu'elle était impliquée dans cette histoire et il a tout fait pour mettre la main sur les documents.

Le temps manquait.

Elle a dû passer une très mauvaise soirée, Micheline. Une très, très mauvaise soirée. Elle n'avait pas l'air trop blessée quand les flics l'ont sortie de chez elle mais ça ne veut rien dire. Les pires tortures, souvent, ne laissent pas beaucoup de marques physiques.

Anny Jolia doit suivre le cours de mes pensées car elle ajoute « oui, ça n'a pas dû être drôle… »

— Vous saviez que Pearson allait abattre tout le monde au restaurant ?

— Je savais qu'il allait s'organiser pour mettre la main sur la serviette. Il m'avait dit qu'il allait faire diversion et que je n'aurais qu'à m'occuper du garde du corps de la Lloyd's, ce qui ne représentait pas un gros problème. Disons que j'ai été étonnée de constater ce que Pearson entendait par « diversion ». Avoir su qu'il entendait liquider tout le monde, j'aurais prévenu mes patrons. Après tout, Johnston travaillait pour le gouvernement américain et il était de mon devoir de tenter de le sauver.

— Je ne comprends toujours pas pourquoi vous ne nous avez jamais informés.

Elle se cale dans son fauteuil.

— Facile, répond-elle. Tout d'abord, je partageais le point de vue de Pearson à savoir que vous étiez un ripou. Quand j'ai réalisé que je n'avais pas affaire à la police, j'en ai été doublement convaincue et je me suis dit que vous teniez très bien le rôle de l'agent qui fait semblant de faire son boulot en sachant très bien où est ce qu'il cherche. Vous donniez le change, quoi. Ajoutez à ça que j'avais ordre de récupérer des documents pour mon service et vous avez une explication complète sur mon silence et mon manque de collaboration. C'est juste quand vous m'avez renvoyée en cellule, cette nuit, que j'ai compris que vous ne déteniez pas ces documents et que vous les cherchiez réellement.

Le patron semble sortir de sa léthargie.

— Moi, je savais depuis hier après-midi qu'un agent était infiltré. Le patron de mademoiselle m'a personnellement fait parvenir toutes les coordonnées. Ce matin, quand j'ai appris que vous l'aviez mise en tôle, je l'ai fait sortir. Après discussion avec son employeur, on a convenu de vous laisser aller, Saint-Ours. Nous étions tous, incluant mademoiselle, convaincus que vous aviez mis la main sur ces documents. Évidemment, je me suis porté garant de votre probité. À ce sujet, je ne change surtout pas d'idée mais là, je vais vous demander de collaborer avec cette dame… Autre chose, Saint-Ours : on se fout de la compagnie d'assurance. C'est la liste qu'il nous faut.

* * *

On se retrouve comme ça, quelques minutes plus tard, attablés devant un autre verre. Gerbier, le gros et la poule m'accompagnent. Claude, maintenant qu'il sait que la petite est de notre côté, n'arrête pas de lui faire du plat. Le gros est plus réservé et je crois qu'il ne digère pas encore que cette pin-up l'ait cogné avec autant d'aplomb. Ses deux yeux cernés de noir sont lourds de reproches.

La situation est assez cocasse. Pendant près de trois jours, elle et nous, on s'est tabassés, on a tenté de se liquider mutuellement et, maintenant, il faut faire la paix, travailler ensemble. J'ai beau me dire que c'est Pearson qui manigançait tout ça, je demeure avec une certaine méfiance vis-à-vis Anny.

— Faudrait quand même penser à travailler un peu, dis-je tout haut. Faut retrouver ces maudits documents. Où est-ce que Racine a pu les mettre ?

— Chose certaine, dit notre nouvelle collaboratrice, Racine les avait sur lui. Ça, c'est sûr !

— Pas possible… Quand tu as piqué la serviette, après le carnage de Pearson, il n'y a personne qui s'est approché des cadavres.

On en est à « tu » et à « toi », la petite et moi. Maintenant qu'on sait qu'on n'aura plus à se taper dessus, c'est aussi bien comme ça. Je regrette un peu d'avoir dû l'électrocuter et je me demande si elle ne s'en veut pas de m'avoir fait cette bosse derrière la tête. Je lui poserai la question quand on sera seuls, ce qui ne manquera certainement pas d'arriver d'ici peu de temps.

— En attendant, il n'y a pas grand chose à faire, dis-je. Je vous propose d'ajourner. On se revoit demain et on discute de la situation. Tant mieux si vous trouvez quelque chose. En tout cas, on essaiera de trouver un élément sur lequel on peut repartir pour retrouver cette fichue liste. En attendant, je vais aller rendre visite à Micheline.

Je me lève et je les abandonne à la banquette. Mon bras me fait de plus en plus mal. Aussitôt que l'effet des calmants diminue, la brûlure me rappelle sa présence. Je suis crevé et je me tiens debout en avalant du café et des alcools dont l'indice d'octane est de plus en plus élevé, sans même parvenir à me sentir gris. C'est aussi bien car, pour affronter Micheline, j'ai l'impression que je vais avoir besoin de toute ma lucidité.

À l'hôpital, on m'indique à quel étage loge temporairement ma douce. Quand je sors de l'ascenseur, je n'ai pas à chercher longtemps car j'aperçois dans le corridor l'uniforme d'un policier assis sur une chaise en train de lire un magazine. Je m'approche et il me laisse entrer après avoir vérifié mon identité.

À l'intérieur, un médecin inscrit quelques notes sur une feuille pendant qu'une infirmière replace les couvertures. Micheline dort comme un bébé. Du regard, le médecin m'interroge.

— On peut lui parler?

— C'est important?

— Non, pas vraiment. C'est surtout pour prendre des nouvelles de sa santé.

— Alors, me lance le médecin, venez avec moi, je vais vous en donner. Laissez-la dormir, elle en a besoin.

On circule de nouveau dans le couloir en devisant. Le médecin me demande si je suis un parent. Je lui réponds que je suis un ami mais surtout le type qui l'a embarquée, bien involontairement, dans cette histoire et que ça me ronge l'intérieur de savoir qu'elle est là à cause de moi.

— Vous êtes flic ? répète-t-il pensivement.

— Oui. Enfin, une sorte de flic, si on veut…

— Alors, je vais vous parler honnêtement. Je ne sais pas ce qui est arrivé à cette fille d'une façon précise mais en plus des traumatismes psychologiques dont m'a parlé le psychiatre, on croirait qu'elle a reçu une volée de coups de pieds dans le ventre. Des coups donnés sans aucun ménagement. Elle est mal en point, je vous l'assure.

— C'est grave ? demandai-je.

— Assez. Elle va s'en sortir, c'est certain, mais elle en aura pour un moment à se remettre.

— Qu'est-ce que vous allez faire ?

— Nous sommes obligés de l'opérer. Je vais essayer de lui sauver l'utérus.

Ça me prend, là, aux alentours de la pomme d'Adam. Parce que j'ai amené cette fille souper un soir, il va falloir l'ouvrir et la réparer. Sans compter que ce genre de truc est toujours risqué et qu'elle peut fort bien sortir de la table d'opération sans plus jamais être capable de faire de petits. Personnellement, des ti-culs, ça ne m'intéresse pas mais je ne peux quand même pas me prononcer pour elle. Peut-être aurait-elle voulu, un jour, en avoir un… J'espère que tout ira bien. C'est con de dire ça mais là, je ne peux plus rien faire.

Je me pousse en remerciant le docteur. Je me marchais sur le moral avant d'arriver mais maintenant, c'est terrifiant. Je sors de ma poche un petit sachet contenant des calmants et j'en avale deux avant de me mettre à brailler. Mon maudit bras me fait de plus en plus mal ; plus le temps passe et plus j'ai du mal à le bouger. Je regarde machinalement mon sachet de calmants et je me dis que ces trucs-là ne sont certainement pas faits pour me remonter le moral. Je me souffle aussi que ceux que Micheline aura à prendre après son opération seront autrement plus costauds.

Et puis, je suis pris d'une lueur aveuglante.

J'arrête un taxi et ordonne au chauffeur de me conduire à l'Institut médico-légal. Du taxi, j'appelle Paul Ferré, le pathologiste qui a examiné le cadavre de Racine en lui disant de venir m'accueillir à la porte parce que je ne veux pas me casser la tête avec les formalités d'usage.

On arrive, le taxi et moi, sans encombre à Parthenais. Le doc est à l'entrée qui m'attend avec ma carte d'accès et après l'avoir attrapée, on se dirige presque au pas de course vers les ascenseurs.

— Paul, il faut que tu me fasses voir son dossier.

Je parle de Racine.

— Facile, je l'ai ici, me dit-il, à bout de souffle.

Je le consulte rapidement mais je ne trouve pas ce que je cherche. Le doc y décrit la façon dont la mort est survenue, en détails, avec des termes dont la compréhension est interdite au public.

— C'est tout ? demandai-je, incrédule.

Le spécialiste a l'air surpris.

— Mais, tu t'attendais à quoi, Max ? C'est un rapport d'autopsie ! Qu'est-ce que tu cherches ?

Je réfléchis une seconde. Je fais peut-être fausse route sur toute la ligne, encore une fois.

— Est-ce que Racine avait une cicatrice récente ? j'avance prudemment.

Ses yeux bleus adoptent un curieux flottement. Il a l'air de dormir les yeux ouverts, le doc.

— Je ne me rappelle plus, prononce-t-il enfin. Écoute, le plus simple, c'est d'aller le voir; il est à la glacière, en bas.

On descend deux ou trois étages dans un ascenseur qui m'installe le cœur à proximité de la gorge et qui s'empresse de me le remettre au bon endroit en s'arrêtant.

On arrive dans une salle effectivement très froide où règne une odeur fade qui ressemble à celle des centres hospitaliers. Paul s'approche d'une case et en tire un cadavre installé sur un lit d'acier à roulements à billes.

Racine est encore plus écoeurant à voir qu'au moment où il traînait par terre dans le restaurant. Les technos ont lavé les plaies et, maintenant, ces peaux raidies dans sa figure lui donnent un aspect fantomatique de film d'horreur des années quarante.

Je calme mon estomac qui menace de se manifester en détournant les yeux un moment pour me raccrocher à quelque chose de réel, de pas trop moche. Comme il n'y a que des cases, je me décide à regarder l'objet de ma visite en réprimant un jet acide qui me vient dans la bouche.

Le docteur tournaille autour du macchabée

sans broncher. Il le palpe, de ci, de là, lui soulève, difficilement, les bras, l'un après l'autre, lui écarte les jambes, le tourne sur le ventre et le remet finalement dans sa position première.

— Tu as raison, Max, il a une cicatrice récente à l'aisselle gauche. Mais c'est minuscule.

— Ouvre là, Paul !

Je m'attendais à des protestations, à un air atterré, à la diatribe sur le respect des morts, bref, je m'attendais à de la résistance. Pas du tout. Sans dire un mot, il va chercher un scalpel et revient vers le client.

— Tu veux rester ? De toute façon, ça ne saignera pas, me lance-t-il.

— Oui, ça devrait aller.

— Dans ce cas, comme tu es plus fort que moi, tu vas lui écarter le bras. La rigidité cadavérique a fait son œuvre et la glacière n'améliore pas la situation. T'inquiète pas si ça craque.

Je m'empare du bras qu'il me désigne et je tire. Bon Dieu, c'est bien accroché ! J'ai l'impression de vouloir plier une branche d'érable qui serait de la taille d'un bras d'homme. Quand même, c'est moins solide que du bois et, finalement, j'arrive à le lui écarter.

Paul s'empare de son scalpel et pratique une légère incision.

— Après ? demande-t-il.

— Il n'y a rien à l'intérieur ?

Il scrute de la pointe de son scalpel, délicatement, en taillant les chairs et jette un œil de plus près.

— Pour l'instant, je ne vois rien…À moins que…

Il reprend son couteau de l'autre main et agrandit l'incision qu'il a pratiquée. Il y fourre deux doigts et tâtonne un peu. Finalement, il en ressort une minuscule enveloppe plastique contenant une rondelle noire.

— C'est ce que tu cherchais ?

Je branle le chef en le laissant glisser cette enveloppe plus petite qu'un timbre dans un ziplock. Je remercie Paul et je sors. L'air frais me fait du bien. J'en avais besoin, je crois.

« Ils parlaient de banalités, de leurs petits bobos », m'avait dit le serveur. Anny Jolia était certaine que Racine avait les documents sur lui.

J'éclate de rire. Heureusement que le serveur a entendu parler de cette opération et que le médecin de Micheline m'a aussi parlé d'intervention chirurgicale.

Gonflé à bloc, je me dirige vers le bureau pour remettre ça au patron.

ÉPILOGUE

L'air est doux, cet après-midi, à la terrasse du Faubourg. Ça fait presque oublier les drôleries et les horreurs des derniers jours. Le gros sirote une petite bière pendant que Claude et moi attendons un sandwich en finissant un ballon de rouge.

J'ai remis les documents, hier, au patron, qui s'est empressé de les acheminer là où ils devaient aller et de calmer tout le monde. Sans oublier de se péter les bretelles, évidemment, sur SON efficacité.

De son côté, la jolie Jolia est partie sans prévenir personne, ce qui n'a rien de surprenant. Claude en a été amèrement déçu mais à voir sa tête cet après-midi, j'ai l'impression que les choses vont rapidement se tasser. Le patron nous a mis en congé de maladie pour quelques semaines. Honnêtement, ça ne sera pas du luxe.

En face, le restaurant Tettrazini est toujours paré d'une file d'attente et l'Italien est sûrement le seul dans toute cette histoire à y avoir trouvé un profit. Je m'attends à ce que Micheline qui, elle, est victime de cette affaire, sorte aujourd'hui de l'hôpital. Le médecin a finalement décidé de repousser l'opération, jugeant que la chose pouvait attendre un peu, question de lui permettre de mieux récupérer. Chose certaine, elle sera aux calmants pendant quelque temps et je crains qu'elle ne disparaisse de Montréal pour plusieurs semaines. En ce qui nous concerne, tous les deux, c'est raté. Sa famille m'a demandé de me tenir à distance et ça m'étonnerait qu'elle accepte de revoir un type qui représente un danger constant.

Pour Claude, les choses sont dans un état semblable. Sa blonde, avec qui les choses étaient supposées bien aller, l'a laissé tomber parce qu'il mène une vie impossible et qu'il ne peut même pas se permettre de décrocher pour faire son devoir conjugal. Elle en veut pour preuve le soir où il l'a déçue en plein cœur de l'action quand je l'ai envoyé au Sofitel. Il ne m'en veut pas. On devient philosophes dans notre job.

— Une autre, tonitrue le gros au serveur.

— Tu sais, Max, poursuit-il, il y a des jours comme ça où je ne ferais rien d'autre que d'écluser quelques petites bières. Tant que ça ne fâche pas Mme Dulude, bien entendu…

Ses yeux au beurre noir surplombent un large sourire.

— Moi, ajoute le gros, j'aime pas ça travailler. La seule raison pour laquelle je continue, c'est que ça empêche de penser. Autrement, je foutrais tout ça en l'air.

— Tout ça ?

Du bras, il fait un large demi-cercle.

— Tout ça ! C'est tellement aléatoire, tellement con…

Gerbier pouffe.

— Tu sors les grands mots ?

Mon paget sonne. Le gros me regarde, juste curieux.

— Un vol de plans d'une trottinette sur coussin d'air, dis-je.

— C'est ce que je disais. Tellement con, dit le gros.

M
MARQUIS
Québec, Canada